Альберт Эйнштейн

МИР, КАКИМ Я ЕГО ВИЖУ

BN Publishing
АСТ
Москва

УДК 1(091)
ББК 87.3(4Гем)
Э33

Albert Einstein
THE WORLD AS I SEE IT

Эйнштейн, А.

Э33   Мир, каким я его вижу. / Альберт Эйнштейн. — М.: АСТ, 2013. — 223 с. — (Гордость человечества).

ISBN 978-5-17-077501-9

Для большинства людей нашей планеты теории Альберта Эйнштейна являются полной загадкой. Мы в благоговейном восхищении и растерянности стоим перед фигурой этого человека, чьи мысли лежат за пределами нашего разума, чей вклад в развитие науки и цивилизации по-настоящему могут оценить или даже оспорить считанные единицы интеллектуалов. Но существует и другая сторона личности Альберта Эйнштейна. Она проявляется в том, какие «обычные» проблемы его волнуют, как он относится к тем или иным социальным явлениям, что говорит по этому поводу. Тем более это интересно, когда его собеседниками становятся такие незаурядные люди как, например, Зигмунд Фрейд или Конрад Лоренц.

При таком освещении личности ученого отчетливее видна внутренняя связь между научными концепциями Эйнштейна и его эстетическими склонностями, моральными принципами, его взглядами на общественный прогресс, на образование, на проблемы мира и войны. И мы вновь замираем перед обаянием его личности, осознавая величие Эйнштейна — ученого с мировым именем и человека Мира.

Научный редактор: **А. М. Красильщиков**

Содержание

ГЛАВА 2

ГЛАВА 3

Предисловие
к американскому изданию[1]

> Чувство ответственности не присуще
> никому, кроме индивидуума.
>
> *Ницше*

Эта книга — отнюдь не полное собрание заметок, выступлений и высказываний Альберта Эйнштейна; перед вами лишь те его сочинения, которые были отобраны с определенной целью — дать портрет этого человека. В наши дни Эйнштейн оказался в водовороте политической борьбы, превратился в выдающуюся историческую фигуру современности, а между тем сам он этого вовсе не хотел. В результате Эйнштейна постигла судьба многих великих людей: его характер и мировоззрения представлены миру в крайне искаженном виде.

Подлинная цель этой книги — воспротивиться судьбе. Желание издать и прочитать такую книгу недвусмысленно высказывали и друзья Эйнштейна, и широкая общественность. В сборник вошли труды самых разных лет, написанные до 1935 года (статья «Научный интернационал» датируется 1922 годом, заметка о «Принципах научно-

---

[1] Сборник впервые опубликован в 1949 г. — *Здесь и далее примечания переводчика.*

го исследования»[1] — 1923, «Письмо одному арабу» — 1930), и самой разной тематики — объединяет их лишь личность, стоящая за всеми этими высказываниями. Альберт Эйнштейн верит в человечество, в мир во всем мире, во взаимопомощь и в высокую миссию науки. Эта книга — дань подобному мировоззрению в эпоху, которая заставляет каждого из нас тщательно пересматривать собственные идеи и представления.

Дж. Х.

---

[1] В настоящее сокращенное издание заметка не вошла.

Предисловие
к сокращенному изданию

Мистер X. Гордон Гарбедян в биографии Альберта Эйнштейна упоминает о том, как один американский журналист попросил великого физика дать определение теории относительности одним предложением. Эйнштейн ответил, что на краткое определение теории относительности ему требуется три дня. Он мог бы добавить, что определение это будет совершенно непонятным, если спросивший не обладает глубочайшими познаниями в математике и физике.

Для большинства из нас теория Эйнштейна — полная загадка. К Эйнштейну принято относиться примерно как Марк Твен относился к автору монографии по математике: тот написал целую книгу, а Марк Твен не понял из нее ни единой фразы. Вот почему широкая публика считает Эйнштейна великим — ведь он сделал революционные открытия, которые невозможно изложить понятным языком. Мы по праву восхищаемся человеком, чьи познания настолько выше наших, чьи достижения способны оценить лишь те немногие, кто в силах проследить его логику и осознать его выводы.

Однако у личности Эйнштейна есть и другая сторона. Она видна в его заметках, письмах, выступлениях и некоторых статьях, собранных в этой книге. Эти фрагменты составляют мозаичный портрет Эйнштейна-человека. Каждый фрагмент в определенном смысле — вещь в себе, он представляет взгляды Эйнштейна на те или иные вопросы прогресса и просвещения, войны и мира, свободы и прочих проблем, которые интересуют каждого. А цель нашего сборника — показать, что Эйнштейн, которого способен понять каждый, столь же велик, как и Эйнштейн, которому мы вынуждены верить на слово.

В жизни Эйнштейну надо лишь одно — право свободно исследовать устройство вселенной. Характер его отличается редкой простотой и искренностью; Эйнштейн всегда был совершенно равнодушен к богатству, славе и прочим наградам, которые так дороги любому честолюбцу. И в то же время он отнюдь не отшельник, отгородившийся от горестей и треволнений окружающего мира. Эйнштейн с раннего детства был не понаслышке знаком с бедностью и худшими проявлениями антигуманности и никогда не жалел сил на защиту слабых и угнетенных. Его чуткой, деликатной натуре особенно претят споры и раздоры, тем не менее он всегда спешит высказаться, если ему кажется, что его голос поможет исправить несправедливость. Пожалуй, история знает мало примеров математического гения-интроверта, который так ревностно отстаивал бы права человека.

Альберт Эйнштейн родился в 1879 году в городе Ульме. Через год его отец перебрался в Мюнхен и организовал там небольшую фирму по торговле электротехническим оборудованием, а в шесть лет мальчик пошел в школу, где была принята жесткая, чуть ли не военная дисциплина, к тому же застенчивый, мечтательный ребенок из еврейской семьи чувствовал себя чужим среди католиков — все это оказало на мальчика глубокое, неизгладимое впечатление.

Преподаватели считали Альберта скверным учеником, полностью лишенным способностей к языкам, истории, географии и другим основным предметам. Интерес к математике пробудили в нем не школьные педагоги, а один еврейский юноша — студент-медик Макс Тальми, который подарил Альберту книгу по геометрии и подтолкнул его тем самым на путь увлекательных исследований, благодаря которым к четырнадцати годам Эйнштейн стал разбираться в математике лучше своих наставников. Кроме того, на этом жизненном этапе он начал изучать философию — читал и перечитывал сочинения Канта и других метафизиков.

Перипетии деловых отношений заставили Эйнштейна-отца начать все заново в Милане, и юный Альберт вкусил радостей более вольной и солнечной жизни, чем в Германии. Однако праздник продлился недолго — несколько свободных месяцев остались позади, надо было готовиться к работе. Начало карьеры стало безоблачным во многом благодаря тому, что учитель математики из мюнхенской гимназии выписал Альберту свидетельство о прохождении курса повышенной сложности: Эйнштейна приняли в Высшее техническое училище в Цюрихе. В течение года перед этим Эйнштейн изучал обязательные предметы, которыми пренебрегал ради математики, но стоило ему приступить к занятиям в училище, как он с головой погрузился в изучение физики и философии и добился невероятных успехов. После пяти лет блестящей учебы в Высшем техническом училище Эйнштейн рассчитывал занять должность преподавателя, однако оказалось, что профессора, заронившие в нем подобные надежды, не выполнили своих щедрых обещаний.

Начались утомительные поиски работы — два кратких периода преподавания и постоянная должность эксперта в Федеральном бюро патентования в Берне. Работа была монотонной и скучной, зато приносила двоякую пользу — обеспечивала необходимый опыт и оставляла голову свободной для математических изысканий, которые впоследствии и легли в основу теории относительности. В 1905 году в научном журнале «Annalen der Physik» («Анналы физики») была напечатана первая статья о теории относительности. Швейцарцы внезапно обнаружили, что среди них под видом простого служащего из патентного бюро живет гений, и Эйнштейна пригласили читать лекции в Бернском университете, а еще через четыре года — в 1909 году — сделали профессором Цюрихского университета. Следующую должность он получил в 1911 году в Пражском университете, где проработал полтора года. Потом он ненадолго вернулся в Цюрих, а оттуда в начале 1914 года переехал в Берлин, став профессором Прусской академии наук и директором Института теоретической физики имени кайзера Вильгельма.

Первая мировая война стала для Эйнштейна временем испытаний: он не мог скрыть пламенного пацифизма и находил утешение лишь в научной работе. Дальнейшие события заставили его путешествовать по всему миру и выступать не только за пацифизм, но и за разоружение в масштабах всей планеты, а также за права евреев. Оставаться в Германии при нацистах человеку таких воззрений, к тому же страстному их проповеднику, было попросту невозможно. В 1933 году Эйнштейн сделал свое знаменитое заявление: «Раз у меня есть выбор, я буду жить только в стране, где правят политические свободы, толерантность и равенство всех граждан перед законом». Некоторое время он был бездомным скитальцем, а затем его пригласили в Испанию, во Францию, в Британию, однако осел он в Принстоне на посту профессора математической и теоретической физики — теперь Эйнштейн был доволен своей должностью и счастлив, что можно жить и трудиться в свободном обществе, однако ему так и не удалось избавиться от горьких воспоминаний о трагедиях войны и притеснениях.

В первоначальном виде сборник «Каким я вижу мир» включал и статьи Эйнштейна по теории относительности и смежным вопросам. Однако по указанным причинам в настоящем издании эти статьи опущены: ведь цель переиздания — показать широкому кругу читателей, каким человеком был один из самых выдающихся мыслителей нашего времени.

ГЛАВА 1

Часть I

КАКИМ
Я ВИЖУ МИР

Смысл жизни

Каков же смысл человеческой жизни — или органической жизни в целом? Если мы хотим ответить на этот вопрос, без религии не обойтись. Так есть ли смысл его задавать, спросите вы. Отвечу: человек, который считает, что его жизнь и жизнь его собратьев лишена смысла, не просто несчастлив, но еще и практически не приспособлен к жизни.

Каким я вижу мир

До чего же поразительная участь уготована нам, простым смертным! Каждый из нас приходит в мир лишь ненадолго и даже не знает, с какой целью, хотя иногда это чувствует. Однако с точки зрения повседневной жизни, если никуда не углубляться, живем мы ради своих собратьев — в первую очередь ради тех, от чьей улыбки и благополучия зависит наше счастье, а затем — ради тех, кого мы не знаем лично, однако с чьими судьбами связаны узами сострадания. Я по сто раз за день напоминаю себе, что моя внутренняя и внешняя жизнь зависит от трудов других людей, живых и мертвых, и что я должен прилагать все старания, чтобы воздать им должное за полученные и получаемые блага. Я ревностный сторонник простой жизни, и меня зачастую удручает, что ради меня моим собратьям приходится слишком много трудиться. Мне представляется, что классовые различия противоречат справедливости и по меньшей мере основаны на насилии. Кроме того, я считаю, что простая жизнь приносит пользу каждому — и физически, и умственно.

Что касается человеческой свободы в философском смысле, в это я определенно не верю. Все действуют не только под принуждением внешних сил, но и сообразно с внутренней необходимостью.

Слова Шопенгауэра — «Человек может делать то, что он хочет, но он не может хотеть того, чего он хочет»[1] вдохновляли меня с ранней юности, постоянно утешали и даровали неисчерпаемый запас смирения перед лицом жизненных тягот — и моих, и чужих. Это чувство милосердно облегчает груз ответственности, из-за которого так легко впасть в паралич, и не поз-

Я по сто раз за день напоминаю себе, что моя внутренняя и внешняя жизнь зависит от трудов других людей, живых и мертвых, и что я должен прилагать все старания, чтобы воздать им должное за полученные и получаемые блага.

---

[1] Это высказывание принадлежит австрийскому поэту и драматургу Роберту Гамерлингу (1832–1889).

воляет воспринимать себя и других слишком серьезно, — оно подталкивает к мировоззрению, где должное место, прежде всего, занимает юмор.

Искать смысл или цель собственного существования или тварного мира в целом всегда казалось мне абсурдом с объективной точки зрения. Тем не менее у каждого есть определенные идеалы, которые и направляют его стремления и суждения. В этом отношении я никогда не считал легкость бытия и счастье самоценными. Идеалы, которые освещали мне путь и время от времени придавали отваги, чтобы бодро принимать жизнь как она есть, — это Истина, Добро и Красота. Жизнь казалась бы мне пустой, не ощущай я общности с обладателями похожего мировоззрения, искателями объективного, вечного и недостижимого в сфере искусства и научных исследований. Банальные цели человеческих стремлений — собственность, внешний успех, роскошь — всегда представлялись мне презренными.

Обостренное чувство социальной справедливости и социальной ответственности всегда причудливо контрастировало у меня с тем, что я, очевидно, свободен от потребности в прямом контакте с другими человеческими существами и сообществами. Я иду своей дорогой и никогда не был особенно привязан ни к своей стране, ни к дому, ни к друзьям, ни даже к близким родственникам — несмотря на самые тесные узы, я никогда не утрачивал стойкого чувства отстраненности и тяги к уединению, и это чувство с годами лишь крепнет. Порою остро — однако без сожаления — сознаешь, насколько ограниченна возможность взаимопонимания и симпатии с собратьями-людьми. При этом, конечно, несколько теряешь в жизнерадостности и беззаботности, зато становишься во многом независимым от мнений, привычек и суждений своих собратьев и избегаешь соблазна опереться на столь зыбкое основание.

Мой идеал в политике — демократия. Уважать каждого — и никому не поклоняться. Ирония судьбы состоит в том, что и самому мне случалось быть предметом излишнего восхищения и уважения собратьев — и в этом нет ни моей вины, ни заслуги. Подобное отношение, вероятно, объясняется желанием — для многих неосуществимым — понять две-три идеи, которые возникли у меня, при моих скудных способностях, благодаря неустанным стараниям. Я прекрасно по-

Порою остро — однако без сожаления — сознаешь, насколько ограниченна возможность взаимопонимания и симпатии с собратьями-людьми.

В драме человеческой жизни самым ценным мне представляется не государство, а чуткая, творческая личность, индивидуальность, — лишь из таких происходят люди подлинно благородные и великие, а толпа сама по себе всегда неинтересна — и в мыслях, и в чувствах.

нимаю, что для успеха любого трудного начинания необходимо, чтобы кто-то один обо всем думал, всеми руководил и в целом взял на себя ответственность. Однако ведомых надо убедить, люди должны иметь возможность выбирать своего вожака. Автократорская система принуждения, по моему мнению, обречена на быстрый крах. Ведь сила извечно манит людей низменной морали, и я убежден: то, что гениальным тиранам наследуют негодяи — непреложный исторический закон. Именно поэтому я всегда был страстным противником систем, которые мы наблюдаем сегодня в Италии и в России.

Сегодня преобладающая форма демократии в Европе дискредитирована не демократической идеей как таковой, а недостатком стабильности среди глав правительств и обезличенной системой выборов. Я уверен, что Соединенные Штаты Америки в этом отношении стоят на правильном пути. У них ответственный президент, который избирается на достаточно долгий срок и располагает достаточными полномочиями, чтобы в полной мере исполнять свои обязанности. С другой стороны, что я ценю в нашей политической системе — так это куда более пристальное внимание к отдельным людям в случае болезни или нужды. В драме человеческой жизни самым ценным мне представляется не государство, а чуткая, творческая личность, индивидуальность, — лишь из таких происходят люди подлинно благородные и великие, а толпа сама по себе всегда неинтересна — и в мыслях, и в чувствах.

Эта тема заставляет меня заговорить о наихудшем порождении толпы — о военной машине, которая мне глубоко отвратительна. По мне, человек, который находит удовольствие в том, чтобы маршировать в строю под звуки оркестра, уже достоин презрения. Головной мозг достался ему по ошибке; спинного было бы довольно. Эту болезнь цивилизации следует искоренить со всей возможной поспешностью. Героизм по приказу, бессмысленная жестокость, все эти гибельные глупости, творимые во имя патриотизма — как же я их ненавижу! Война представляется мне мерзостью и злом, я бы лучше дал разрезать себя на мелкие кусочки, чем участвовал в столь отвратительном начинании. И все же

Человек, который находит удовольствие в том, чтобы маршировать в строю под звуки оркестра, уже достоин презрения. Головной мозг достался ему по ошибке; спинного было бы довольно.

мое мнение о роде человеческом — несмотря ни на что — очень высоко, и я уверен: этот кошмар исчез бы давным-давно, если бы здравый смысл народов не извращало систематическое вмешательство коммерческих и политических интересов посредством прессы и образования.

Самое прекрасное, что только может выпасть нам на долю, — это тайна. Стремление разгадать ее стоит у колыбели подлинного искусства и подлинной науки. Тот, кто не знает этого чувства, утратил любопытство, неспособен больше удивляться, все равно что мертвый, все равно что задутая свеча. Именно ощущение тайны, пусть даже смешанное со страхом, и породило религию. Когда человек знает, что на свете есть нечто, недоступное нашему пониманию, когда он видит проявления глубинного порядка вещей и ослепительной красоты, которые мы способны осознать лишь в самом примитивном виде, такое знание, такие чувства и составляют подлинную религиозность, — и в этом и только этом смысле я человек глубоко религиозный. Я не могу представить себе Бога, который награждает и наказывает свои создания или обладает во-

Самое прекрасное, что только может выпасть нам на долю, — это тайна... Именно ощущение тайны, пусть даже смешанное со страхом, и породило религию.

лей, напоминающей ту, которую мы осознаем в себе. То, что личность человека сохраняется после физической смерти, также превосходит мое понимание — да я бы этого и не хотел: такие представления вызваны лишь страхами или нелепым себялюбием слабых духом. Мне достаточно загадок вечной жизни и намеков на чудесный, стройный миропорядок — вкупе с горячим стремлением осознать пусть даже самую малую толику великого разума, который проявляет себя в природе.

1931 г.

Свобода совести.
По поводу «Гумбелевского бунта»[1]

Академических должностей очень много, однако мудрых и благородных наставников крайне мало; лекционные аудитории просторны и многочисленны, а количество молодых людей, искренне жаждущих правды и справедливости, невелико. Природа щедро сеет посредственностей, но очень редко производит высокосортные плоды. Все это нам давно известно — на что же жаловаться? Так было и будет всегда, не правда ли? Конечно, да, — и нужно принимать все, что дает Природа, в том виде, в каком это получаешь. Однако надо учитывать еще и дух времени, — определенные умонастроения, характерные для того или иного поколения, умонастроения, которые передаются от человека к человеку и сообщают обществу особую интонацию. Каждый из нас вносит в преображение духа времени свой скромный вклад.

Сравните дух, обуревавший юношество в наших университетах сто лет назад, с тем, который преобладает в наши дни. Тогда мо-

---

[1] Гумбель, Эмиль Юлиус (1891–1966) — немецкий математик и публицист еврейского происхождения. В 1930 году студенты-нацисты Гейдельбергского университета захватили здание и потребовали уволить Гумбеля. Эти беспорядки и получили название «Гумбелевский бунт».

лодежь верила, что человеческое общество можно улучшить и облагородить, уважала искреннее мнение каждого, обладала терпимостью, ради которой жили и боролись наши классики. В те дни все стремились к политическому единству — тогда оно звалось Германией. Эти идеалы были живы благодаря студентам и преподавателям университетов.

Сегодня также все стремятся к социальному прогрессу, к толерантности и свободе мысли, к политическому единству, которое сейчас зовется Европой. Однако студенты наших университетов — как и их наставники — совершенно перестали дорожить надеждами и идеалами своего народа. Стоит взглянуть на наши времена холодно и бесстрастно, и это бросается в глаза.

Все мы собрались сегодня, чтобы заручиться поддержкой друг друга. Внешняя причина нашей встречи — дело Гумбеля. Этот апостол справедливости написал о немыслимых политических преступлениях, написал с мастерством, увлеченностью, необычайной отвагой и честностью, достойной подражания, и своими книгами открыл глаза общественности. И вот этого-то челове-

Природа щедро сеет посредственностей, но очень редко производит высокосортные плоды.

ка студенты и огромное большинство коллег всеми силами стараются выгнать из университета.

Нельзя допускать, чтобы политические страсти приводили к таким последствиям. Я убежден, что книги господина Гумбеля произведут на всякого беспристрастного читателя такое же впечатление, как и на меня. Если мы хотим создать здоровое политическое общество, нам не обойтись без таких, как он. Пусть каждый судит его по своему разумению — исходя из того, что прочитал сам, а не из того, что говорят ему другие. И тогда дело Гумбеля может обернуться во благо, несмотря на столь обескураживающее начало.

1930 г.

Добро и зло

Конечно, сильнее всего следовало бы любить всех, кто больше всего поспособствовал возвышению рода человеческого и улучшению его жизни. Однако если углубиться в изыскания, кто же все эти люди, неизбежно столкнешься с весьма значительными трудностями. Если взять политических и даже религиозных деятелей, обычно сложно разобраться, чего они сделали больше, хорошего или плохого. Из этого я совершенно искренне делаю вывод, что лучшая услуга, какую только можно оказать людям, — это дать им какое-то занятие, возвышающее душу, и благодаря ему косвенно возвысить их самих. Это прежде всего относится к великому художнику, однако, пусть и в меньшей степени, также и к ученому. Конечно, возвышают человека и обогащают его натуру отнюдь не плоды научных исследований — но стремление понять, интеллектуальный труд, как творчество, так и восприятие. Разумеется, было бы абсурдно судить о ценности, к примеру, Талмуда по тем интеллектуальным плодам, которые он приносит.

Конечно, возвышают человека и обогащают его натуру отнюдь не плоды научных исследований — но стремление понять, интеллектуальный труд, как творчество, так и восприятие. Разумеется, было бы абсурдно судить о ценности, к примеру, Талмуда по тем интеллектуальным плодам, которые он приносит.

* * *

Подлинная ценность человека в первую очередь определяется мерой и смыслом, в каких он сумел отрешиться от своего «я».

Общественное и личное

Пересматривая свою жизнь и стремления, мы быстро замечаем, что наши действия и желания практически целиком связаны с существованием других человеческих существ. Мы видим, что наша натура напоминает натуру общественных животных. Мы едим пищу, которую не сами вырастили, носим одежду, которую не сами сшили, живем в домах, которые не сами выстроили. Большую часть наших представлений и познаний мы получили от других посредством языка, который создали не мы. Без языка наши умственные способности были бы весьма умеренными — сравнимыми с умственными способностями высших животных; следовательно, нам надо признать, что главное наше преимущество перед животными — то, что мы живем в человеческом обществе. Если человека с рождения оставить одного, он останется на первобытном, звероподобном уровне — и умственно, и эмоционально, — и мы едва сможем его понять. Личность становится личностью и играет свою роль не столько благодаря своим собственным достоинствам, сколько как составная часть великого человеческого общества, которое и направляет и материальное, и духовное существование личности от колыбели до могилы.

Ценность человека для общества в первую очередь зависит от того, насколько его чувства, мысли и поступки направлены на благо собратьев. Именно от этого зависит, называем ли мы его плохим или хорошим. На первый взгляд кажется, что наша оценка человека зависит исключительно от его социальных качеств.

И все же подобное отношение было бы ошибочным. Очевидно, что все ценности, которые мы получаем от общества, материальные, духовные и моральные, восходят через бесконечную череду поколений к каким-то одаренным личностям. Использование огня, выращивание съедобных растений, паровая машина — все это изобретения отдельных людей.

Только личность способна мыслить и тем самым создавать новые ценности для общества — более того, даже устанавливать моральные стандарты, которым должна отвечать жизнь в обществе. Без независимого творческого мышления и отдельных личностей, способных на здравые суждения, вертикальное развитие общества немыслимо так же, как и развитие отдельной личности вне плодородной почвы общества.

Следовательно, здоровье общества так же зависит от независимости отдельных личностей, составляющих его, как и от их тесного политического сотрудничества. Очень точно подмечено, что греко-европейско-американская культура в целом — а особенно ее блистательный расцвет во времена Итальянского Возрождения, положивший конец стагнации средневековой Европы, — основана на освобождении и относительной изоляции отдельной личности.

Рассмотрим теперь времена, в которые мы живем. Как обстоят дела у общества, а как — у личности? Цивилизованные страны населены весьма густо по сравнению с минувшими временами; сегодняшняя Европа вмещает примерно в три раза больше жителей, чем сто лет назад. Однако количество великих людей непропорционально снизилось. Лишь несколько личностей широко известны общественности благодаря своим творческим достижениям.

Место великого человека до некоторой степени заняли организации, особенно в технической сфере, но и в научной эта метаморфоза весьма заметна.

Особенно резко проявляется недостаток выдающихся деятелей в царстве искусства. Музыка и живопись определенно выродились и во многом утратили притягательность для публики. В политике не хватает не только лидеров — у них истощились запасы независимости, да и чувство справедливости у отдельных граждан тоже заметно притупилось. Демократический парламентский режим, основанный именно на независимости, во многих странах поколебался, возникли диктатуры — и с ними мирятся, потому что чувство собственного достоинства и уважение к правам человека уже не так сильны. Газеты способны в две недели так взбудоражить массы, подобные стаду овец, что все будут готовы надеть военную форму, убивать и умирать ради никчемных целей нескольких заинтересованных сторон. Похоже, самый позорный симптом недостатка самоуважения, которым страдает сегодня цивилизованное человечество — это всеобщая воинская повинность. Неудивительно, что нет недостатка в пророках, предрекающих крах цивилизации. Я не принадлежу к числу подобных пессимистов; лично я убежден, что грядут лучшие времена. Позвольте вкратце обосновать подобную уверенность.

По моему мнению, нынешние симптомы упадка объясняются тем, что развитие индустрии и механизации сделали борьбу за существование куда более жестокой — во многом за счет свободного развития личности. Однако развитие механизации означает, что личности приходится прилагать все меньше

Самый позорный симптом недостатка самоуважения, которым страдает сегодня цивилизованное человечество — это всеобщая воинская повинность.

и меньше усилий для удовлетворения потребностей общества. Все более насущной необходимостью становится плановое распределение труда, чтобы работы хватило на всех, и это распределение приведет к укреплению материального положения отдельного человека. Уверенность в завтрашнем дне, свободное время и силы, которые получит в свое распоряжение личность, можно употребить на ее дальнейшее развитие. Таким образом общество вернет себе здоровье, а мы станем уповать на то, что историки будущего сочтут болезненные симптомы сегодняшнего общества не более чем детской болезнью юного человечества, которая была вызвана исключительно избыточной скоростью развития цивилизации.

1932 г.

Речь на могиле Х. А. Лоренца[1]

Я стою у могилы величайшего и благороднейшего человека нашего времени как представитель немецкоязычного академического мира, а в особенности — Прусской Академии наук, но прежде всего — как ученик и горячий почитатель. Гений Лоренца был факелом, осветившим путь от учения Клерка Максвелла[2] к достижениям современной физики, которую Лоренц снабдил ценнейшими методами и материалами.

Его жизнь была словно произведение искусства, продуманное до мельчайших деталей. Неизменная доброта и великодушие, а также чувство справедливости вкупе с интуитивным пониманием людей и событий выделяли Лоренца в любой области, которую ему случалось затронуть.

Все с радостью следовали за ним, поскольку ощущали, что цель его — не властвовать, а просто быть полезным. Его труды, его пример будут жить — и вдохновлять и направлять будущие поколения.

1928 г.

---

[1] Лоренц, Хендрик Антон (1853–1928) — выдающийся голландский физик.

[2] Максвелл, Джеймс Клерк (1831–1879) — выдающийся британский физик и математик.

Заслуги Х. А. Лоренца в области международного сотрудничества

С учетом всесторонней специализации научных исследований, возникшей в девятнадцатом веке, редко случается, чтобы человек, достигший выдающихся успехов в какой-либо науке, сумел в то же время оказать и весомую услугу обществу в области международных организаций и международной политики. Подобная работа требует не только сил, проницательности и репутации, основанной на солидных достижениях, но и свободы от национальных предрассудков, и преданности общему делу, а в наше время это редкость. Мне не приходилось встречать человека, в котором все эти качества сочетались бы так великолепно, как в Х. А. Лоренце. Самая чудесная черта его характера заключалась в следующем. Независимые, сильные натуры, которых особенно много среди ученых и мыслителей, неохотно подчиняются чужой воле и по большей части всего лишь через силу мирятся с тем, чтобы кто-то ими руководил. Однако стоило Лоренцу оказаться в президентском кресле, как неизменно воцарялась атмосфера радости и сотрудничества — даже если собравшиеся не могли найти согласия в своих целях и образе мыслей. Секрет подобного успеха заключается не только в том, как быстро Лоренц разбирался в людях и предметах, и не в поразительном красноречии — нет, главным было ощущение, что он всем сердцем предан своему делу и что во время работы в его сознании нет места посторонним мыслям. Вернейшее средство обезоружить любого упрямца!

Перед войной деятельность Лоренца в области международных отношений ограничивалась председательством на физических конференциях. Особенно следует выделить Сольвеевские конгрессы,[1] первые два из которых проводились в Брюсселе в 1909 и 1912 годах. Затем началась Первая мировая война, которая нанесла сокрушительный удар по всем, кто мечтал улучшить человеческие отношения в целом. Еще во время войны, а тем более после ее окончания Лоренц посвятил себя миротворчеству. Его усилия были направлены в основном на восстановление плодотворного дружеского сотрудничества между учеными и научными сообще-

---

[1] Сольвеевские конгрессы — серия международных конференций по обсуждению фундаментальных проблем физики и химии, проводимая в Брюсселе международными Сольвеевскими институтами физики и химии. Первый из Конгрессов прошел в 1911 (а не 1909) году.

ствами. Со стороны едва ли было заметно, как трудна эта работа. Накопленные за время войны взаимные обиды еще не забылись, и многие влиятельные персоны упорно придерживались непримиримой позиции, на которой очутились под давлением обстоятельств. Так что усилия Лоренца напоминали старания врача в общении с упрямым пациентом, который отказывается принимать лекарство, тщательно приготовленное ради его же блага.

Однако если Лоренц убеждался, что избрал верный путь, отпугнуть его было невозможно. Как только война закончилась, он вошел в состав правления Совета по исследованиям, основанного ведущими талантами из стран-победительниц — совета, откуда были исключены таланты и ученые сообщества Центральных держав.[1] Этот шаг, вызвавший возмущение в академических кругах Центральных держав, Лоренц предпринял с целью повлиять на это учреждение и добиться, чтобы оно расширилось и стало подлинно международным. Лоренц и другие люди доброй воли после долгих стараний одержали победу и добились, чтобы из устава Совета исключили оскорбительную статью об ограничении членства. Но главная

---

[1] Центральные державы — военно-политический блок союзников Германской империи в Первой мировой войне.

цель, состоявшая в восстановлении нормального плодотворного сотрудничества между учеными сообществами, до сих пор не достигнута, поскольку академический мир Центральных держав, измученный тем, что уже почти десять лет ученых этих стран не допускают почти ни на какие международные встречи, приучился замыкаться в себе. Однако сейчас появились все основания надеяться, что вскоре лед будет сломан — благодаря деликатным усилиям Лоренца, вызванным исключительно ревностным служением делу добра.

Кроме того, Лоренц посвятил свои силы служению международной культуре и в другой области — он согласился работать в международном комитете Лиги Наций по интеллектуальному сотрудничеству, созданном около пяти лет назад под председательством Бергсона.[1] Последний год Лоренц возглавлял этот комитет, который при активной поддержке своего подразделения — Парижского института — должен служить посредником в сфере интеллектуальной деятельности и искусства в самых разных отраслях культуры. Итак, здесь тоже налицо благотворное влияние этого умного, гуманного и скромного человека, неписаный, однако ревностно

---

[1] Бергсон, Анри (1859–1941) — великий французский философ.

исполняемый девиз которого — «Не власть, но служение» — наставит нас на истинный путь.

Пусть пример Лоренца поспособствует торжеству этого принципа!

Ок. 1928 г.

В честь семидесятилетнего юбилея Арнольда Берлинера, [1] редактора журнала «Die Naturwissenschaften» («Естественные науки»)

Пользуюсь случаем сказать моему другу Берлинеру и читателям этой газеты, почему я так высоко ценю и его самого, и его труды. Придется сделать это именно здесь, ведь другого случая сказать хвалебные слова мне не представится: долгая привычка к объективности привела к табу на все личное, и нарушить это табу мы, простые смертные, можем лишь в исключительных случаях — вот, например, сейчас.

А теперь, вырвавшись на свободу, вернемся к объективности! Границы царства научно доказанных фактов сильно расширились, теоретические познания во всех до единой областях науки стали куда глубже. Однако восприимчивость человеческого ума была и остается строго ограниченной. Следовательно, сфера человеческих познаний, на которую направ-

---

[1] Берлинер, Арнольд (1862–1942) — немецкий физик, основатель и редактор еженедельника «Естественные науки». В 1935 году был уволен с поста редактора в связи с «неарийским» происхождением. Покончил с собой накануне отправки в концентрационный лагерь.

лена деятельность отдельного исследователя, неизбежно сужается. Хуже того, в результате подобной специализации становится все труднее даже примерно представлять себе положение в науке в целом, а без этого подлинный исследовательский дух неизбежно слабеет, — все труднее поспевать за прогрессом. Развитие ситуации начинает напоминать библейскую историю о вавилонской башне. Любой серьезный научный работник, к своему огорчению, понимает, что область его знаний волей-неволей сужается, а это грозит лишить исследователя широты кругозора и свести до уровня механика.

Все мы так или иначе подвержены этому злу — и не прилагаем никаких усилий для борьбы с ним. Однако на помощь нам пришел Берлинер — по крайней мере, на помощь немецкоязычному миру, — причем самым восхитительным образом. Он понимал, что имеющиеся периодические издания вполне способны наставлять и вдохновлять широкого читателя; а еще он понимал, что научным работникам, которые стремятся получать достаточное представление о последних достижениях науки, о ее проблемах, методах и результатах и судить о них самостоятельно, совершенно необходим первоклассный, профессионально изданный журнал. Берлинер посвятил своему изданию долгие годы тяжких трудов, проявил великую мудрость и не менее великое упорство и оказал всем нам — и науке — услугу, за которую никакой благодарности не хватит.

Ему было необходимо заручиться сотрудничеством лучших популяризаторов науки и заставить их выразить все свои мысли в форме, предельно понятной читателю-неспециалисту. Он часто говорил мне, какие битвы приходится вести, чтобы достичь этой цели, сетовал на трудности, которые как-то описал следующей шуточной загадкой: «Вопрос: что такое автор научно-популярных статей? Ответ: смесь мимозы с дикобразом». (Мой дорогой Берлинер, не сердитесь, что я раскрываю ваши тайны. Серьезному человеку так приятно иной раз посмеяться от души.) Достижения Берлинера были бы невозможны, не будь у него такой удивительной страсти сделать ясный, понятный для всех обзор как можно более широкой области научного царства. Это чувство подтолкнуло его и к созданию учебника по физике, плода многолетних усердных трудов, о котором один студент-медик позавчера сказал мне: «Не понимаю, как бы мне удалось без этой книги получить ясное представление о принципах современной физики за такое короткое время».

Борьба Берлинера за ясность и понятность подачи очень поспособствовала тому, чтобы донести научные проблемы, методы и результаты до множества читателей. В наши дни понять, что происходит в научной жизни, без его издания попросту невозможно. Оживлять научное знание и поддерживать в нем жизнь так же важно, как решать научные задачи. Все мы понимаем, в каком мы долгу перед Арнольдом Берлинером.

1932 г.

* * *

Поппер-Линкеус[1] был не просто блестящим инженером и писателем. Он был одним из немногих выдающихся людей, воплощающих совесть поколения. Он втолковал нам, что общество в ответе за судьбу каждого человека, и показал, как претворить в жизнь соответствующие обязательства общества. Ни общество, ни государство не были для него кумиром; он считал, что они имеют право требовать от людей самопожертвования лишь потому, что и сами обязаны предоставлять каждому человеку возможность гармонично развиваться.

1921 г.

---

[1] Поппер-Линкеус, Йозеф (1838–1921) — австрийский писатель, философ и изобретатель.

Некролог хирургу М. Катценштейну[1]

За восемнадцать лет, которые я прожил в Берлине, у меня появилось мало близких друзей, и самым близким из них был профессор Катценштейн. Более десяти лет я проводил летом часы досуга в его обществе, по большей части на его восхитительной яхте. Там мы поверяли друг другу свои переживания, замыслы, чувства. Оба мы понимали, что наша дружба — не просто удача, потому что каждый из нас понимал и обогащал другого и находил в нем чуткий отклик, столь необходимый каждому подлинно живому человеку, — она еще и помогла нам обоим обрести независимость от внешних переживаний, легче находить объективную точку зрения на них.

Я был человек свободный, не связанный ни особыми обязанностями, ни утомительной ответственностью; мой друг, напротив, никогда не освобождался от бремени неотложных дел и тревог за судьбу тех, кто оказался в опасности. Если утром — а так было всегда, — он делал сложные операции, то перед тем, как мы отправлялись на яхту, обязательно звонил по телефону, чтобы узнать, каково

---

[1] Катценштейн, Мориц (1872–1932) — известный немецкий врач.

состояние пациентов, за которых он волновался; я видел, как глубоко его заботят те, кто доверил ему свою жизнь. Удивительно, что этот груз внешних обязательств не подрезал крылья душе моего друга — его воображение, его чувство юмора совершенно обезоруживали. Он так и не стал типичным честным северогерманцем, каких итальянцы во дни своей свободы прозвали *bestia seriosa*. Юношей он чутко воспринимал бодрящую красоту лесов и озер Бранденбурга, и когда он рукой мастера вел свое судно среди знакомых и любимых пейзажей, то открывал мне тайную сокровищницу своего сердца — рассказывал о своих экспериментах, научных идеях, замыслах. Как он находил на них время и силы, для меня остается загадкой, однако страсти к научным изысканиям никакое бремя не помеха. Такая страсть переживет своего носителя.

Внимание моего друга привлекали две разновидности задач. Одни ему приходилось решать по долгу медицинской практики. Поэтому он постоянно размышлял над тем, как приживлять на место утраченных мышц здоровые при помощи хитроумной трансплантации сухожилий. Ему представлялось, что это на удивление просто — ведь он обладал необычайно сильным пространственным воображением и поразительно точным чувством механики. Как он, бывало, ликовал, когда удавалось вернуть человека к нормальной жизни, исправив мускулатуру его лица, ноги, руки! И в то же время он старался избежать операции — даже в тех случаях, когда другие врачи направляли к нему пациентов для хирургического лечения язвы желудка: тогда он прибегал к нейтрализации пепсина. Кроме того, он добился колоссальных успехов в лечении перитонита при помощи антитоксической кишечной сыворотки собственного изобретения — и радовался этим успехам. Когда он говорил об этом, то часто сожалел, что коллеги не перенимают его метод.

Вторая категория задач имела отношение к общим представлениям об антагонизме между разными видами тканей. Мой друг полагал, что он на пути к открытию универсального биологического принципа, сулящего самое широкое практическое применение, и выводил из него следствия с достойными восхищения отвагой и постоянством. Начал он с того, что подметил общую закономерность: оказывается, костный мозг и надкостница, не разделенные костью, препятствуют росту друг друга. Так моему другу удалось объяснить необъяснимые до этого случаи незаживающих ран и найти целительное средство.

Общее представление об антагонизме тканей, особенно эпителия и соединительной ткани, стало для моего друга предметом, на который он направил все свои научные силы, особенно в последние десять лет жизни. Он параллельно ставил эксперименты на животных и проводил систематические исследования роста тканей в питательной жидкости. При этом руки у него, конечно, были связаны повседневными обязанностями — и как же он был благодарен, что нашел восхитительную, полную беспредельного энтузиазма помощницу в лице фройляйн Кнаке! Моему другу удалось получить поразительные результаты, касающиеся факторов, которые благоприятствуют росту эпителия за счет соединительной ткани, — результаты, которые определенно имеют решающее значение в исследовании рака. Кроме того, ему выпало счастье вдохновить собственного сына, который стал его талантливым и независимым сотрудником, а также вызвать теплый интерес у Зауэрбруха[1] и заручиться его поддержкой в последние годы жизни — так что на пороге смерти мой друг утешался мыслью, что дело всей его жизни не погибнет и что другие с радостью продолжат его начинания.

---

[1] Зауэрбрух, Эрнст Фердинанд (1875–1951) — выдающийся немецкий врач, считается одним из лучших хирургов XX века. В годы Второй мировой войны был главным военным хирургом Третьего рейха, но позднее разочаровался в нацизме.

Я, со своей стороны, благодарен судьбе, что она дала мне в друзья такого человека — наделенного неисчерпаемой добротой и величайшими творческими способностями.

1932 г.

Поздравление доктору Зольфу[1]

Я счастлив, что имею возможность сердечно поздравить вас, доктор Зольф, от имени колледжа Лессинга, важнейшим столпом которого вы стали, и от имени всех тех, кто убежден в необходимости тесного сотрудничества между наукой и искусством, и широкой публики, жаждущей духовной пищи.

Вы были готовы направить свои усилия в область, где не удастся стяжать славу, а можно лишь спокойно и преданно трудиться, чтобы повысить стандарты интеллектуальной и духовной жизни в целом, которые в наши дни из-за самых разных обстоятельств оказались под особой угрозой. Излишнее уважение к спорту, череда неприятных жизненных коллизий, вызванных техническими открытиями последних лет, обострение борьбы за существование из-за экономического кризиса, ожесточенность политической жизни —

Ни в коем случае нельзя терять контакт между массами и интеллектуалами. Он необходим для возвышения общества и ничуть не в меньшей мере — для восстановления сил работника умственного труда, ведь цветок науки в пустыне не вырастет.

[1] Зольф, Вильгельм Генрих (1862–1936) — немецкий ученый, юрист, дипломат и государственный деятель.

все это препятствует созреванию характера и стремлению к подлинной культуре, вот почему нашу эпоху клеймят как варварскую, материалистическую и поверхностную. Специализация во всех сферах интеллектуальной деятельности привела к тому, что пропасть между работником умственного труда и неспециалистом постоянно растет, а от этого нашему народу становится лишь труднее обогатить свою жизнь и сделать ее насыщеннее благодаря достижениям науки и искусства.

Ни в коем случае нельзя терять контакт между массами и интеллектуалами. Он необходим для возвышения общества и ничуть не в меньшей мере — для восстановления сил работника умственного труда, ведь цветок науки в пустыне не вырастет. Вот почему вы, господин Зольф, и посвятили часть своих сил колледжу Лессинга, и мы вам за это благодарны. Желаем дальнейших успехов, и пусть ваш благородный труд приносит вам радость.

8 декабря 1922 г.

О богатстве

Я совершенно убежден, что никакие богатства в мире не продвинут человечество по пути прогресса, даже если попадут в руки самого преданного борца за гуманность. Примеры великих характеров и чистых душ — вот единственное, что способно породить светлые идеи и благородные дела. А деньги лишь тешат самолюбие и всегда вводят владельцев в искушение использовать их во зло.

Разве можно представить себе денежные мешки Карнеги[1] в руках Моисея или Ганди?[2]

1932 г.

Никакие богатства в мире не продвинут человечество по пути прогресса, даже если попадут в руки самого преданного борца за гуманность.

[1] Карнеги, Эндрю (1835–1919) — американский мультимиллионер, предприниматель и филантроп.

[2] Ганди, Мохандас (Махатма Ганди) (1869–1948) — один из вдохновителей и руководителей движения за независимость Индии, проповедник философии ненасилия.

О педагогах и педагогике

Письмо

Дорогая госпожа ***!

Я прочел примерно шестнадцать страниц вашей рукописи, и она вызвала у меня улыбку. Вы умны, наблюдательны, искренни, твердо отстаиваете свою точку зрения — однако рукопись ваша типично женская; под этим я понимаю несамостоятельность, пристрастность и личную обиду. Я претерпел от рук своих учителей точно такое же обращение — они недолюбливали меня за независимость и никогда не останавливали на мне свой выбор, когда им требовались помощники (признаться, я был несколько менее примерным учеником, нежели вы). Однако я не стал бы тратить время на какие бы то ни было мемуары о своей школьной жизни — и еще меньше хотел бы нести ответственность за то, что кто-то их напечатает и прочтет. Кроме того, некрасиво жаловаться на других, если они тоже боролись за место под солнцем на свой манер. Поэтому обуздайте свой темперамент и оставьте ру-

Единственный разумный метод обучения — показать пример того, чего надо избегать, раз уж наоборот не получается.

копись сыновьям и дочерям — пусть они утешатся и не придают ни малейшего значения всему, что говорят и думают о них учителя. В мире и так многовато педагогики, особенно в американских школах. Между тем единственный разумный метод обучения — показать пример того, чего надо избегать, раз уж наоборот не получается.

С наилучшими пожеланиями

Обращение
к японским школьникам

Я имею полное право обратиться к вам, японские школьники, ведь я побывал в вашей прекрасной стране, видел ее города и дома, горы и леса — и живущих там японских мальчиков, которые научились у этих гор и лесов любить свою страну. На столе у меня всегда лежит толстый альбом с красочными рисунками японских детей.

Если мое приветствие долетит к вам из такой дали, задумайтесь о том, что в наши дни впервые в истории возможны дружба и взаимопонимание между жителями разных стран, ведь в прежние времена народы жили, ничего не зная друг о друге, более того, ненавидели и боялись друг друга. Пусть дух братского взаимопонимания охватывает их все больше и больше. Я, старый человек, думаю об этом, когда шлю вам, японские школьники, привет из своей далекой страны и надеюсь, что когда-нибудь моему поколению станет стыдно перед вашим.

После 1922 г.

Учителя и ученики. Обращение к детям

Милые дети!

Рад видеть вас перед собой — счастливую молодежь процветающей, солнечной страны.

Не забывайте, что все чудеса, которые вы изучаете в школе, — дело рук многих поколений, результат увлеченного труда и бесконечных стараний жителей всех стран на свете. Все это вам вручают как наследие — чтобы вы приняли его, почитали и преумножали и когда-нибудь с верой вручили своим детям. Так мы, смертные, достигаем бессмертия — вместе создаем вечные творения.

Если вы никогда не будете об этом забывать, то поймете, в чем смысл жизни и труда, и будете правильно относиться к другим народам и другим эпохам.

* * *

Главное в мастерстве учителя — пробуждать радость познания и творчества.

Не забывайте, что все чудеса, которые вы изучаете в школе, — дело рук многих поколений, результат увлеченного труда и бесконечных стараний жителей всех стран на свете.

Потерянный рай

Еще совсем недавно, в семнадцатом веке, великие художники и таланты всей Европы были так тесно связаны узами общих идеалов, что политические события практически не влияли на их сотрудничество. Это единство только крепло благодаря повсеместному использованию латинского языка.

Сегодня подобное положение дел кажется нам потерянным раем. Националистические страсти уничтожили сообщество интеллектуалов, а латынь, объединявшая некогда весь мир, мертва. Ученые стали главными глашатаями национальных традиций и утратили чувство интеллектуальной общности.

Мы сегодня столкнулись с курьезным фактом — идею международного сотрудничества продвигают в основном политики, люди деловые и практичные. Именно политики создали Лигу Наций.

Религия и наука

Всё, что сделал и о чём думал род человеческий, связано с удовлетворением нужд, подлинных или мнимых, и облегчением страданий. Об этом следует помнить, если хочешь разобраться в духовных движениях и их развитии. Желание и чувство — вот движущие силы всех человеческих начинаний, всех человеческих творений, в каком бы возвышенном обличье они ни представали. Так какие же чувства и потребности подтолкнули человека к религиозной мысли и к вере в самом широком смысле этих слов? Достаточно немного поразмыслить, чтобы показать, что у колыбели религиозной мысли и опыта стояли самые разные эмоции.

У первобытного человека превыше всего стоит страх, он и пробуждает религиозные представления: страх голода, диких животных, болезни, смерти. Поскольку на этой ступени существования понимание причинно-следственных связей, как правило, развито еще плохо, человеческий разум создает более или менее человекоподобные образы, от чьей воли и действий зависят эти страшные события. Тогда целью человека становится заручиться благосклонностью этих существ, а для этого нужно совершать действия и приносить жертвы, которые, согласно традиции, передаваемой из поколения в поколение, разжалобят божеств или добьются их расположения к смертному. Это я говорю о религии страха. Она в значительной степени стабилизируется и закрепляется формированием особой касты священнослужителей, которая служит посредником между человеком и существами, которых он страшится, и на этом основании захватывает власть, хотя сама религию и не создает. Во многих случаях вождь или правитель (чье положение зависит от других факторов), либо привилегированный класс, сочетает функции священнослужителей со светской властью, дабы укрепить ее, а иногда политические вожди и каста священнослужителей объединяются ради взаимных интересов.

Другой источник кристаллизации религии — чувство общности. Отцы и матери, как и вожди более крупных человеческих сообществ, смертны и ненадежны. Стремление к руководству, любви и поддержке побуждает людей создавать общественную или моральную концепцию Бога. Это Бог-Провидение, он оберегает, распоряжается,

Желание и чувство — вот движущие силы всех человеческих начинаний, всех человеческих творений, в каком бы возвышенном обличье они ни представали.

награждает и наказывает, это Бог, который в зависимости от широты кругозора верующего любит и хранит племя или все человечество, а может быть, и жизнь как таковую, он утешает в скорбях и неудовлетворенных стремлениях, он привечает души умерших. Такова социальная или моральная концепция Бога.

Прекрасно иллюстрирует развитие религии от страха к морали еврейское священное писание. Религии всех цивилизованных народов, в особенности народов Востока, это прежде всего религии морали. Развитие религии от страха к морали — величайший шаг в жизни народа. То, что первобытные религии основаны будто бы целиком и полностью на страхе, а религии цивилизованных народов — исключительно на морали, — это предрассудок, которого следует остерегаться. На самом деле все религии лежат где-то посередине — с той оговоркой, что там, где лучше развита общественная жизнь, преобладает религия морали.

Общее для всех этих типов — антропоморфный характер представления о Боге. За пределы этого уровня, по сути дела, выходят лишь исключительно одаренные личности или исключительно высокодуховные общины. Однако есть и третье состояние религиозного опыта, присущее им всем, хотя в чистом виде оно встречается редко; это состояние я называю космическим религиозным чувством. Описать это чувство человеку, который полностью его лишен, очень трудно, в особенности потому, что с ним не соотносится никакая антропоморфная концепция Бога. На этом уровне человек ощущает ничтожество человеческих целей и желаний и чудесный высший порядок вещей, который проявляется и в природе, и в мире мысли. Индивидуальное существование видится тогда своего рода темницей, человек стремится воспринять вселенную как единое значимое целое. Зачатки космического религиозного чувства заметны уже на ранних стадиях развития, например, во многих псалмах Давидовых и у некоторых пророков. В буддизме этот элемент значительно сильнее, как мы узнали, в частности, из чудесных работ Шопенгауэра.

Религиозные гении минувших веков отличались именно таким религиозным чувством, которое не знает ни догм, ни Бога в образе человека, — а значит, не может быть и церкви, учение которой будет на нем основано. Следовательно, людей, полных высочайшей

Развитие религии от страха к морали — величайший шаг в жизни народа.

разновидности религиозного чувства, мы встречаем именно среди еретиков всех времен — и во многих случаях их считают атеистами, но иногда — святыми. С этой точки зрения мыслители вроде Демокрита, Франциска Ассизского и Спинозы весьма сродни друг другу.

Как передать космическое религиозное чувство другому человеку, если оно не порождает никакого определенного образа Бога и никакой религиозной доктрины? По моим представлениям, пробуждать это чувство и поддерживать его у тех, кто на него способен, и есть важнейшая функция искусства и науки.

Таким образом, мы вплотную приближаемся к представлению о связи науки с религией, которое сильно отличается от общепринятого. Если взглянуть на все с исторической точки зрения, возникает искушение считать науку и религию непримиримыми антагонистами — по крайне очевидным причинам. Человек, полностью убежденный, что во вселенной действует универсальный закон причины и следствия, не в состоянии ни на миг смириться с идеей о существе, которое

Людей, полных высочайшей разновидности религиозного чувства, мы встречаем именно среди еретиков всех времен — и во многих случаях их считают атеистами, но иногда — святыми.

вмешивается в ход событий, если, конечно, он и вправду серьезно относится к гипотезе о причинности. От религии страха ему нет никакой пользы, от религии общества или морали — тоже. Бог, который награждает и наказывает, для него тоже немыслим — по той простой причине, что действия человека определяются необходимостью, как внешней, так и внутренней, так что в глазах Бога человек отвечает за свои поступки не больше, чем неодушевленный предмет — за свои перемещения. Поэтому науку обвиняли в подрыве моральных устоев — однако обвинение это несправедливо. Этическое поведение человека должно, в сущности, основываться на симпатии, образовании и социальных узах, а никакой религиозной основы для него не нужно. Пожалуй, он встанет на скользкий путь, если ограничивать его будет только страх наказания и надежда на награду в загробной жизни.

Следовательно, легко видеть, почему все церкви всегда боролись против науки и преследовали ее сторонников. С другой стороны, я уверен, что космическое религиозное чувство — самый мощный, самый благородный сти-

Как передать космическое религиозное чувство другому человеку, если оно не порождает никакого определенного образа Бога и никакой религиозной доктрины? По моим представлениям, пробуждать это чувство и поддерживать его у тех, кто на него способен, и есть важнейшая функция искусства и науки.

мул к научным исследованиям. Только те, кто осознает, каких колоссальных трудов, а главное, преданности своему делу требует работа первопроходца в теоретической науке, способен ощутить силу эмоции, без которой невозможна подобная работа, ведь она так далека от непосредственной жизненной реальности. Как глубоко, должно быть, были убеждены Ньютон и Кеплер в рациональности вселенной, как стремились понять пусть даже слабое отражение разума, который являет себя в этом мире, если они провели долгие годы в одиночестве и тяжких трудах, чтобы разобраться в принципах небесной механики!

Те, кто знаком с научным исследованием в основном по его практическим результатам, легко впадают в заблуждение относительно умонастроений, свойственных людям, которые, окруженные миром скептиков, прокладывали путь своим единомышленникам, рассеянным по планете и эпохам. Лишь тот, кто посвятил свою жизнь подобной цели, живо понимает, что вдохновляло этих мыслителей, что дало им силы сохранить верность своим устремлениям, несмотря на бес-

Космическое религиозное чувство — самый мощный, самый благородный стимул к научным исследованиям.

численные неудачи. Силу такого рода дает человеку космическое религиозное чувство. По довольно меткому выражению современника, единственные глубоко религиозные люди в нашу материалистическую эпоху — серьезные научные работники.

По довольно меткому выражению современника, единственные глубоко религиозные люди в нашу материалистическую эпоху — серьезные научные работники.

Религиозность науки

Среди самых глубоких научных умов едва ли найдешь человека, лишенного своего особого религиозного чувства. Однако это чувство отличается от религии профана. Для последнего Бог — существо, на чью благосклонность он уповает и чьего наказания страшится, сублимация чувства, подобного любви ребенка к отцу — существу, с которым он в определенной степени в родстве, — пусть даже это чувство сильно окрашено благоговением.

Но ученый одержим чувством вселенской причинности. Будущее для него до последней мелочи столь же определенно и неизбежно, сколь и прошлое. В морали нет ничего божественного, это исключительно человеческое изобретение. Религиозное чувство ученого приобретает форму восторга и восхищения гармонией законов природы: ведь за ними стоит разум, по сравнению с величием которого любые систематические размышления и действия человеческого существа — всего лишь смутное отражение. Этим принципом ученый руководствуется и в жизни,

Ученый одержим чувством вселенской причинности. Будущее для него до последней мелочи столь же определенно и неизбежно, сколь и прошлое.

В морали нет ничего божественного, это исключительно человеческое изобретение.

и в работе — в той степени, в какой ему удается сбросить оковы эгоистических желаний. Несомненно, близкое подобие этого чувства обуревало и религиозных гениев всех времен.

Религиозное чувство ученого приобретает форму восторга и восхищения гармонией законов природы: ведь за ними стоит разум, по сравнению с величием которого любые систематические размышления и действия человеческого существа — всего лишь смутное отражение.

Бедственное положение науки

Немецкоязычным странам грозит опасность, и все, кто о ней осведомлен, обязаны привлечь к ней внимание — причем как можно скорее. Экономическая напряженность, которую повлекли за собой политические события, сказывается на всех по-разному. Самый сильный удар пришелся по учреждениям и отдельным людям, чье материальное существование прямо зависит от государства. К этой категории принадлежат и научные учреждения, и работники, от чьих трудов в огромной степени зависит не только благополучие науки, но и положение Австрии и Германии в мировой культуре в целом.

Чтобы в полной мере оценить тяжесть ситуации, необходимо учесть следующие соображения. В годы кризиса люди обычно бывают слепы ко всему, что не относится к их непосредственным нуждам. Если чей-то труд производит материальные блага как таковые, общество за него заплатит. Однако наука — если мы хотим,

Там, где застопорились научные изыскания, иссякает и интеллектуальная жизнь народа, а это губит на корню многие зачатки дальнейшего развития.

чтобы она процветала, — не должна стремиться к практическим целям. В целом знания и методы, которые она порождает, служат практическим целям лишь косвенно, а во многих случаях — только по прошествии нескольких поколений. Пренебрежение к науке в конечном итоге приводит к недостатку в интеллектуальных работниках, которые благодаря независимым суждениям и представлениям способны проложить промышленности новые пути или приспособиться к новым обстоятельствам.

Там, где застопорились научные изыскания, иссякает и интеллектуальная жизнь народа, а это губит на корню многие зачатки дальнейшего развития. Это мы и должны предотвратить. В наши дни государство ослабло в результате причин, не связанных с политикой, и экономически сильные члены общины обязаны прямо и непосредственно прийти на помощь науке и предотвратить упадок научной жизни.

Дальновидные люди, ясно понимающие ситуацию, создали организации, задача которых — всячески способствовать тому, чтобы научная деятельность в Германии и Австрии не пре-

Занимаясь педагогической работой, я с удивлением наблюдаю, что экономические бедствия еще не вполне подавили волю и энтузиазм в научных исследованиях. Совсем наоборот!

кращалась. Поспособствуйте успеху этих начинаний. Занимаясь педагогической работой, я с удивлением наблюдаю, что экономические бедствия еще не вполне подавили волю и энтузиазм в научных исследованиях. Совсем наоборот! Такое ощущение, будто бедствия лишь подкрепили преданность производству нематериальной продукции. Люди повсюду трудятся с кипучим энтузиазмом в самых сложных обстоятельствах. Сделайте так, чтобы воля и таланты современного юношества не погибли и не нанесли тяжелую рану обществу в целом.

Фашизм и наука

*Письмо в Рим синьору Рокко,
государственному министру*

Уважаемый господин министр!

Ко мне обратились два весьма выдающихся
и уважаемых итальянских ученых, у которых возникли трудности этического свойства,
и попросили написать вам с целью прекра-
тить, если это возможно, практику жестоко-
го преследования ученых в Италии. Я имею
в виду присягу на верность фашистской системе. Прошу вас взять на себя труд посове-
товать синьору Муссолини избавить цвет
итальянской интеллигенции от подобного
унижения.

Как бы ни различались наши политические убеждения, я уверен, что в одном мы
согласны: оба мы видим и ценим свое вы-
сочайшее благо в достижениях прогресса европейской мысли. Эти достижения основаны
на свободе мнений и мировоззрения, на том
принципе, что стремление к истине следует ставить превыше всех прочих стремлений.
Лишь этот принцип позволил нашей цивилизации достичь вершины в Древней Греции
и с блеском возродиться в эпоху Ренессанса

в Италии. Это величайшее благо оплачено мученической кровью людей великих и чистых духом, в память о которых Италию любят и почитают до сих пор.

Я отнюдь не собираюсь спорить с вами о том, насколько вторжение в человеческие свободы может быть оправдано причинами государственного порядка. Однако стремление к научной истине, не связанной с практическими интересами обыденной жизни, должно считаться неприкосновенным при любом правительстве — и в интересах всех и каждого, чтобы честных служителей истины оставили в покое. Кроме того, это, несомненно, в интересах итальянского государства и его престижа в глазах мировой общественности.

С надеждой, что просьба моя будет услышана, остаюсь и пр.

А. Э.
16 ноября 1931 г.

Стремление к научной истине, не связанной с практическими интересами обыденной жизни, должно считаться неприкосновенным при любом правительстве.

Об интервью

Когда человека заставляют публично от-читываться за все, что он сказал, даже в шутку, в запальчивости или под влиянием минутного гнева, это в конечном итоге может оказаться роковым, однако с определенной точки зрения подобная практика разумна и естественна. Однако когда человека привлекают к публичной ответственности за то, что сказал от его имени кто-то другой, и лишают возможности защититься — это, конечно, очень неприятно. «Кому же выпала такая ужасная участь?» — спросите вы. Отвечу — каждому, кем широкая общественность интересуется в достаточной степени, чтобы его преследовали интервьюеры. Вы недоверчиво улыбаетесь — однако у меня накопилось достаточно опыта, и я им с вами поделюсь.

Представьте себе следующую ситуацию. В одно прекрасное утро к вам приходит журналист и по-дружески предлагает рассказать ему что-нибудь о вашем приятеле N. Подобная просьба поначалу, несомненно, вызовет у вас понятное возмущение. Однако вскоре вы обнаружите, что деваться вам некуда. Если вы откажетесь говорить, этот человек напишет: «Я попросил рассказать об N одного из его якобы лучших друзей. Однако он благоразумно уклонился от моих расспросов. Предоставлю читателю самостоятельно сделать из этого очевидные выводы». Как видите, выхода у вас нет, и вы предоставляете журналисту следующие сведения: «Господин N — человек жизнерадостный и искренний, все друзья очень его любят. Он способен найти положительные стороны в любой житейской коллизии. Его изобретательность и предприимчивость не знают границ; все свои силы он посвящает работе. Он предан своей семье и складывает к ногам супруги все, чем владеет»...

А теперь — версия журналиста: «Господин N ничего не воспринимает серьезно и обладает талантом нравиться, которым он обязан тщательно выверенной льстивой и вкрадчивой манере общения. Он раб собственного начальства, и у него не остается времени ни на какую умственную деятельность за пределами своего узкого кругозора, ни на какие размышления о чем бы то ни было, что не касается его лично. Он сверх всякой меры избаловал жену и заделался записным подкаблучником»...

Настоящий репортер подал бы все еще острее, однако, по-моему, и этого достаточно и для вас, и для вашего друга N. Он прочитает и этот отрывок, и все остальное в том же духе в газете на следующее утро — и разгневается на вас несказанно, несмотря на всю свою легкость и отходчивость. Обида, которую ему нанесли, причинит вам ужасные страдания, особенно если вы и вправду хорошо к нему относитесь.

Как бы вы поступили, друг мой? Если вы это знаете, расскажите мне скорей, и я со всей поспешностью последую вашему примеру.

10 августа 1921 г.

Благодарность Америке

Господин мэр, дамы и господа!

Великолепный прием, устроенный сегодня в мою честь, заставляет меня краснеть — отчасти потому, что он предназначен для меня лично, — но мне очень приятно, что его устроили для меня как для представителя чистой науки. Ведь наша встреча — ясный, зримый знак, что мир больше не склонен ставить превыше всего материальную власть и богатство. Как радостно, что кто-то ощутил порыв объявить об этом официально.

Мне выпала честь провести два чудесных месяца в этой счастливой стране, среди вас, и у меня было много случаев заметить, как высоко люди действия, люди практического склада ценят старания ученых, — очень многие из них посвятили значительную часть состояния и уделили много сил служению делу науки и таким образом внесли свой вклад в престиж и процветание этой страны.

Не упущу случая с благодарностью упомянуть и о том, что покровительство, которое Америка оказывает науке, не ограничено государственными рубежами. Добровольной поддержкой американских организаций и отдельных граждан счастливы пользоваться научные учреждения по всему цивилизованному миру — не сомневаюсь, что для всех вас этот факт служит источником гордости и удовлетворения.

Подобные свидетельства того, что Америка способна мыслить и чувствовать в международном масштабе, особенно своевременны, ведь сегодняшний мир как никогда нуждается в том, чтобы ведущие народы и великие деятели мыслили и чувствовали глобально, иначе нам не достичь прогресса в сторону лучшего, достойнейшего будущего. Да будет мне позволено выразить надежду, что интернационализм американского народа, обусловленный высоким чувством ответственности, вскоре распространится и на сферу политики. Ведь без активного сотрудничества великих Соединенных Штатов в деле урегулирования международных отношений все усилия, направленные к этой важнейшей цели, неизбежно останутся более или менее умозрительными.

Сердечно благодарю всех вас за этот пышный прием, а в особенности — ученых вашей страны за оказанное мне теплое дружеское гостеприимство. Я всегда буду вспоминать эти два месяца с удовольствием и благодарностью.

1921 г.

Университетские курсы в Давосе

«*Senatores boni viri, senatus autem bestia*».[1] Так написал когда-то один мой друг, швейцарский профессор, раздосадованный поведением университетского начальства. В наши дни учреждениями все реже руководят люди совестливые и ответственные. Сколь плодоносным источником страданий для человечества становится этот факт! Именно он порождает и войны, и всевозможные притеснения, из-за которых жизнь на земле полна стонов, боли и горечи.

И все же ничего сколько-нибудь ценного невозможно достичь без самоотверженного сотрудничества многих людей. Следовательно, человек доброй воли в особенности счастлив именно тогда, когда ценой многих жертв удается создать и сдвинуть с мертвой точки какое-то общественное начинание, единственная цель которого — способствовать жизни и культуре. Подобная чистая радость выпала на мою долю, когда я услышал об университетских курсах в Давосе. Там проводятся спасательные и восстановительные работы — очень хорошо продуманные и под мудрым руководством, — вызванные суровой

___

[1] Сенаторы — люди хорошие, а вот сенат — негодяй (*лат*).

необходимостью, хотя необходимость эта, пожалуй, не всем очевидна.

Многие молодые люди приезжают в эту долину, уповая на целительную силу здешних солнечных гор, и восстанавливают телесное здоровье. Однако они вынуждены проводить долгое время без нормальной работы, которая дисциплинирует и закаляет волю, и становятся легкой добычей болезненных размышлений о собственном физическом состоянии, а в результате легко теряют живость мысли и ощущение, что они способны постоять за себя в борьбе за существование. Такой человек превращается в тепличное растение — и хотя телесно он исцеляется, но вернуться к нормальной жизни ему зачастую трудно. Перерыв в интеллектуальных упражнениях в годы юности, определяющие всю дальнейшую жизнь, оставляет брешь, заполнить которую впоследствии едва ли удастся.

Все же в общем и целом умеренная интеллектуальная работа отнюдь не препятствует излечению, а, напротив, косвенно способствует ему, как и умеренный физический труд. С учетом этого и были основаны университетские курсы — с целью не только

Перерыв в интеллектуальных упражнениях в годы юности, определяющие всю дальнейшую жизнь, оставляет брешь, заполнить которую впоследствии едва ли удастся.

снабдить этих молодых людей профессией, но и побудить их к умственной деятельности как таковой. Курсы обеспечат их работой, тренировками и гигиеной в сфере интеллекта. Не будем забывать, что это начинание замечательно продумано с целью установить между представителями разных народов именно те отношения, которые более всего благоприятствуют становлению общеевропейского духа. Новое учреждение достигнет в этом направлении тем больше успехов, что обстоятельства его рождения исключают всяческую политическую цель. Делу интернационализма лучше всего служить, наладив сотрудничество в какой-нибудь области, дарующей жизнь.

Так что меня со всех точек зрения несказанно радует, что силы и ум основателей университетских курсов в Давосе уже привели к значительным успехам и это учреждение переросло все детские болезни. Пожелаем же ему всяческого процветания, пусть оно обогащает внутреннюю жизнь множества чудесных людей и избавляет больных от скудости санаторной жизни!

После 1928 г.

Поздравления критику

Видеть собственными глазами, чувствовать и судить, не поддаваясь внушению сиюминутной моды, иметь возможность выразить все, что видел и ощутил, одной хлесткой фразой или даже хитроумно подобранным словом — это ли не славно? Неужели за это не стоит поздравить?

Приветствие Дж. Б. Шоу

На свете довольно мало людей, которые в силу своей независимости видят все слабости и неразумие современников и при этом сами их избегают. Да и эти немногие одиночки, столкнувшись лицом к лицу с человеческим упрямством, вскоре уже не рвутся привести все в порядок. Лишь крошечному меньшинству дано дивиться своим современникам с тонким юмором и снисходительностью и держать перед ними зеркало при бесстрастном посредничестве искусства. Сегодня я с искренним чувством приветствую величайшего мастера этого метода, который радует — и наставляет — всех нас.

Заметки
об американских впечатлениях

Я должен выполнить данное обещание и рассказать о своих впечатлениях об этой стране. Для меня это вовсе не простая задача, поскольку человеку, которого принимали в Америке с такой добротой и незаслуженным уважением, как меня, трудно встать на позицию беспристрастного наблюдателя. Прежде всего позвольте мне рассказать именно об этом.

Когда человека излишне почитают, это, на мой взгляд, никогда не оправдано. Конечно, природа наделяет своих отпрысков дарами в разной мере. Однако, благодарение Богу, на свете много одаренных людей, и я совершенно убежден, что большинство из них живут скромно и обходятся без наград. И мне кажется вопиющей несправедливостью и даже дурновкусием безудержно восхищаться немногими избранными, приписывать им сверхчеловеческие качества ума и характера. Такой была моя судьба, и контраст между тем, как оценивала мои достижения и способности широкая публика, и реальным положением дел попросту нелеп. Сознавать, что я оказался в такой из ряда вон выходящей ситуации, было бы невыносимо, если бы не одно великое утешение: когда эпоха, всеми признанная сугубо материалистической, создает себе героев из людей, чьи устремления лежат исключительно в интеллектуальной и моральной сфере, — это отрадный симптом. Это доказывает, что изрядная часть рода человеческого все-таки ставит знания и справедливость выше власти и богатства. Опыт учит меня, что подобные идеалистические воззрения особенно распространены в Америке, которую принято считать страной весьма материалистической. После этого отступления вернемся к заявленной теме с надеждой, что моим скромным заметкам придадут не больше веса, чем они заслуживают.

Прежде всего посетителя поражает превосходство этой страны в области техники и организации. Предметы повседневного использования гораздо добротнее, чем в Европе, а дома оборудованы неизмеримо удобнее. Все продумано, чтобы экономить человеческий труд. Труд — это дорого, потому что население страны по сравнению с ее природными ресурсами немногочисленно. Высокая стоимость рабочей силы стала стимулом для поразитель-

Когда эпоха, всеми признанная сугубо материалистической, создает себе героев из людей, чьи устремления лежат исключительно в интеллектуальной и моральной сфере, — это отрадный симптом.

ного развития техники и методов труда. Примером противоположной крайности служит перенаселенные Китай и Индия, где дешевый рабочий труд препятствует механизации. Европа находится посередине. Если машина хорошо продумана, она в конечном итоге обходится дешевле самой дешевой рабочей силы. Пусть об этом задумаются европейские фашисты, которые из-за узколобых политических устремлений хотят, чтобы население их собственных стран резко выросло. США бдительно следит, чтобы в страну не проникали зарубежные товары, и устанавливает для этого высокие пошлины, — какой контраст с европейской экономической политикой. Однако ни в чем не повинного гостя не заставят слишком сильно ломать голову — и вообще, что ни говори, нельзя быть уверенным, что на любой вопрос найдется рациональный ответ.

Еще гостя поражает радостное, оптимистичное отношение к жизни. Улыбки на фотографиях — символ одной из самых замечательных черт рядового американца. Он дружелюбен, уверен в себе, оптимистичен и никому не завидует. Общение с американцами дается европейцам легко и спокойно.

По сравнению с американцами европейцы более критичны и стеснительны, менее добродушны и предупредительны, более замкнуты, более разборчивы в чтении и развлечениях и в целом относительно пессимистичны.

Здесь крайне серьезно относятся к материальным удобствам — ради них жертвуют и покоем, и беззаботностью, и безопасностью. Американец живет ради амбиций, ради будущего — в большей степени, чем европеец. Для него жить — это не быть, а становиться. В этом отношении он еще дальше отстроит от русских и азиатов, чем европеец. Однако в некотором смысле он напоминает азиатов даже больше, чем европеец: американцу куда в меньшей степени, чем европейцу, свойствен индивидуализм — в психологическом, а не экономическом смысле слова.

Упор делается в основном на «мы», а не на «я». Естественное следствие — могущество обычая и общественного договора, поэтому американцы куда больше похожи друг на друга, чем европейцы, по мировоззрению, моральным представлениям и эстетическим предпочтениям. Этим во многом и объясняется экономическое превосходство Америки над Европой. Кооперация и распределение труда проходят здесь легче, с меньшими трениями, чем в Европе, — и на заводах, и в университетах, и на мелких частных предприятиях. Отчасти подобное социальное устройство основано на английских традициях.

Этому явно противоречит тот факт, что деятельность государства по сравнению с Европой относительно ограничена. Европейцу странно видеть, что телеграф, телефон, железные дороги и школы по большей части отданы в частные руки. Это стало возможным благодаря социальной ориентации каждого отдельного человека, о чем я только что рассказал. Еще одно следствие подобной позиции — то, что крайнее имущественное неравенство не приводит к непреодолимым трудностям. Социальная ответственность богатого человека развита гораздо сильнее, чем в Европе. Он считает себя обязанным — для него это само собой разумеется — уделять солидную долю своих богатств, а иногда и сил на нужды общества, и этого от него властно требует общественное мнение — поистине всемогущая сила. Поэтому важнейшие культурные функции и можно перепоручить частным предпринимателям, а роль государства в этой стране по сравнению с Европой очень ограниченна.

Престиж правительства, несомненно, сильно пострадал из-за сухого закона, поскольку нет для правительства и законодательства страны ничего более губительного, нежели принятие законов, которые невозможно исполнять. Ни для кого не секрет, что именно с этим связан грозный рост преступности в Соединенных Штатах.

Мне кажется, что сухой закон подорвал государство и в другом отношении. Питейное заведение — это место, где люди могут обменяться мнениями и соображениями по политическим вопросам. Насколько я могу судить, возможности для этого у местных жителей нет, а в результате пресса, которую контролируют вполне определенные интересы, чересчур сильно влияет на общественное мнение.

Деньги в этой стране переоценивают даже сильнее, чем в Европе, однако, по-моему, эта тенденция все же несколько слабеет. Все по крайней мере начали понимать, что счастливой и полной жизнью можно жить и без особых богатств.

Что касается искусства, я был искренне потрясен тем, с каким вкусом выстроены современные здания и оборудованы места общего пользования; с другой стороны, изобразительное искусство и музыка по сравнению с Европой занимают в общественной жизни мало места.

Я с радостью и восхищением отношусь к достижениям американских научно-исследовательских институтов. Все мы ошибочно пытаемся приписать растущее превосходство американской научной деятельности исключительно благосостоянию; большую роль в ее успехах играют и рвение, и терпение, и дух товарищества, и талант к сотрудничеству. Напоследок — еще одно наблюдение. Соединенные Штаты — самая могущественная и технически развитая держава в современном мире. Однако Америка — большая страна, и пока что ее народ не выказал большого интереса к серьезным международным проблемам, первое место среди которых в наши дни занимает проблема разоружения. Это надо изменить — хотя бы в насущных интересах самих американцев. Последняя война показала, что барьеров между континентами больше нет и судьбы всех стран тесно переплетены. Народ этой страны должен понять, что на нем лежит большая ответственность в сфере международной политики. Роль пассивного наблюдателя недостойна этой страны и в конечном итоге приведет к страшной катастрофе.

1921 г.

Ответ
американским женщинам

Некая «Лига американских женщин» сочла нужным выразить протест против визита Эйнштейна в США. Вот какой ответ они получили.

Никогда еще не случалось мне получать такой решительный отпор от представительниц прекрасного пола — по крайней мере, от стольких сразу.

А ведь эти бдительные патриотки, пожалуй, правы. Разве можно пускать на порог человека, который пожирает прожженных капиталистов с тем же вкусом и аппетитом, с каким в минувшие дни пожирал греческих дев критский Минотавр — и к тому же столь низок, что противится всякого рода войне, кроме неизбежных баталий с собственной супругой? Так прислушайтесь же к своим умным женщинам, стоящим на ответственной гражданской позиции, и помните, что Капитолий в великом Риме когда-то спасли своим гоготом верные гуси.

1921 г.

ГЛАВА 1

Часть II

ПОЛИТИКА
И
ПАЦИФИЗМ

$\log \frac{T_0}{K} + 2\log \frac{K}{R_0} - 4\log \frac{T_0}{K}$ $\frac{\sin\alpha}{\sin\beta} = \frac{V_1}{V_2} \times \frac{w_2}{w_1}$ $\lambda = \frac{h}{\sqrt{2eU m_e}}$ $\frac{N_A}{N_A} = \frac{M_r \cdot 10^{-3}}{N_A}$ $h = \frac{1}{2}$

$\sqrt{\frac{3kTN_A}{M_m}}$ $\sqrt{\frac{3R_m T}{M_R 10^{-3}}}$ $\rho = \frac{E}{C} = \frac{hf}{c} = \frac{h}{c}$ $V = V_1(1+\beta\Delta t)$ $U_{ef} = \frac{U_m}{\sqrt{2}}$ $f_0 = \frac{1}{2\pi\sqrt{CL}}$ $I = $

$\left[\frac{1}{R^2} + \left(\frac{1}{X_C} - \frac{1}{X_L}\right)^2\right]$ $X_L = \frac{U_m}{I_m} = \omega L = 2\pi f L$ $\vec{F}_m = \vec{B}I\ell = \frac{\mu I_1 I_2}{2\pi d}\ell$ $\sigma = \frac{Q}{S}$ $W_2 = U$

$E = mc^2$ $E_k = \frac{h^2}{8mL^2}$ h^2 $\beta = \frac{\Delta I_c}{\Delta I_B}$ $\rho = \frac{\vec{F}}{\Delta S} = \frac{m\Delta\vec{V}}{\Delta S\Delta t}$ $\vec{B} = \mu\frac{NI}{\ell}$ $R = \rho\frac{\ell}{S}$ $M = \vec{F}d$

$v = \frac{\omega h}{2\pi r m e}$ $\phi_e = \frac{L}{4\pi r^2}$ $\int$ $U = \frac{W_{AB}}{\varphi} = \frac{|E_{PA} - E_{PB}|}{\varphi} = |\varphi_A - \varphi_B|$ $\ell_t = \ell_0(1+d\Delta t)$ $F_h = \frac{1}{2}$

$M_z \frac{4\pi^2}{T^2}$

$F_x = \frac{1}{2}C_x\rho S v^2$ $\nabla\times\left(-\frac{\partial\vec{B}}{\partial t}\right) = -\frac{\partial}{\partial t}(\text{rot}\vec{B}) = -\mu_0\frac{\partial}{\partial t}\left(\frac{\partial B}{\partial t}\right) = \varepsilon_0\mu_0\frac{\partial^2 E}{\partial t^2}$ $f_0 = \frac{1}{2}$

$E = \frac{E_C}{a}\int_{-a/2}^{+a/2}\sin(\omega t+\Phi)dy$ $\oint\vec{H}d\vec{\ell} = \iint\left(\vec{J} + \frac{\partial\vec{D}}{\partial t}\right)\cdot d\vec{S}$ $\lambda = \frac{\ell m_2}{T}$ $L = 10\ell$

$1_{pc} = \frac{1AU}{r}$

$\omega(t-\tau) = U_m\sin 2\pi\left(\frac{t}{T} - \frac{x}{\lambda}\right)$ $E_k = \frac{1}{2}mv^2$ $S = \frac{1}{A}\frac{d\omega}{dt}$ $F_g = \frac{M_0 M_z}{r^2}$ $V = \frac{1}{\sqrt{\varepsilon\cdot\mu}}$

$-\iint\frac{\partial\vec{B}}{\partial t}\cdot d\vec{S}$ $E_\varepsilon = k\frac{q_1 q_2}{r^2}$ $\Psi = \iint\vec{B}d\vec{S} = AD$ $\left(\frac{E_t}{E_0}\right)_{\parallel} = \frac{2\cos\vartheta_1\cos\vartheta_2}{\cos(\vartheta_1 - \vartheta_2)\sin(\vartheta_1)}$

$\oint\vec{B}d\vec{\ell} = \mu\iint\vec{J}d\vec{S}$ $f' = \frac{n_a \cdot n_b}{(n-1)(n_b - n_a)}$ $\frac{w_1}{x} + \frac{w_2}{x'} = \frac{w_2 - w_1}{r}$ $\vec{S} = \frac{1}{\mu_0}(\vec{E}$

Мир

Подлинно великие люди минувших поколений понимали, как важно добиться мира между народами. Однако технические достижения нашего времени превратили этот этический постулат в вопрос жизни и смерти для всего цивилизованного человечества — а необходимость принять активное участие в решении проблемы мира во всем мире в моральный долг, от которого не может уклониться ни один честный человек.

Следует понимать, что могущественные промышленные группировки во всех странах, заинтересованные в производстве оружия, прилагают все усилия, чтобы не допустить мирного решения международных споров, и что правители сумеют достичь этой благородной цели, только если заручатся горячей поддержкой большинства своих народов. Сегодня, при демократическом правительстве, судьба страны — в ее собственных руках, и об этом должен помнить каждый гражданин.

Проблема пацифизма

Дамы и господа!

Я очень рад возможности сказать вам несколько слов о проблеме пацифизма. Течение событий за последние несколько лет в очередной раз показало нам, как неправильно с нашей стороны предоставить правительствам борьбу против производства оружия и духа войны. С другой стороны, создание крупных организаций с большим количеством членов само по себе также не приблизит нас к цели. По моему мнению, в данном случае лучший метод — метод честных и энергичных протестов при поддержке организаций, которые окажут моральную и материальную помощь отважным и честным гражданам каждой страны. Только тогда мы сможем добиться успеха, показать, насколько остра проблема пацифизма, и начать настоящую борьбу, которая привлечет людей, сильных духом. Борьба эта незаконна — зато это борьба за подлинные права человека против правительства, раз уж оно требует от своих граждан противозаконных поступков.

Многим из тех, кто считает себя хорошими пацифистами, подобный категорический пацифизм претит — под предлогом патриотизма. Полагаться на таких людей в час нужды нельзя, как убедительно показала Мировая война.

Я крайне признателен вам за возможность лично изложить свои воззрения.

3 марта 1931 г.

Обращение
на студенческом митинге
за разоружение

Минувшие поколения помимо высокоразвитой науки и техники передали нам ценнейший дар, позволяющий сделать нашу жизнь свободной и прекрасной — такой, какой не знало ни одно из минувших поколений. Однако этот дар таит в себе опасность для нашего существования — и такой опасности оно еще никогда не подвергалось.

Судьба цивилизованного человечества как никогда зависит от моральных сил, которые оно способно породить. Следовательно, задача, которая стоит перед нашей эпохой, определенно не легче, чем задачи, с которыми успешно справились наши непосредственные предшественники.

На создание продовольствия и прочих благ, необходимых миру, уходит теперь куда меньше рабочих часов. Однако это сильно усугубило проблему рабочих мест и распределения произведенных благ. Все мы ощущаем, что свободная игра экономических сил, нерегулируемое, необузданное стремление к власти и богатству у каждого человека больше не ведет автоматически к приемлемому решению этих проблем. Производство, труд и распределение следует организовать по определенному плану, чтобы не расходовать попусту ценную продуктивную энергию и не позволить отдельным группам населения бедствовать и голодать. Мало того что необузданный *sacro egoismo*[1] приводит к катастрофическим последствиям в экономической жизни, — для международных отношений он еще более губителен. Техническое развитие вооружений достигло таких масштабов, что если в ближайшее время не придумать способ предотвратить войну, человеческая жизнь станет невыносимой. Важность этой цели сопоставима разве что с беспомощностью прежних попыток ее достичь.

Чтобы свести опасность к минимуму, стараются ограничить количество вооружений и ввести правила, регулирующие ведение войны. Однако война — это не салонная игра, где все послушно соблюдают правила. Если речь идет о жизни и смерти, правила и обязательства никого не интересуют. Имеет смысл лишь полностью отказаться от войны как таковой. Для этого мало создать международный арбитражный суд. Надо заключить мирные договоры, которые гарантируют, что все страны сообща будут исполнять решения этого суда. Без таких гарантий страны ни за

---

[1] Священный эгоизм (*итал.*)

что не отважатся на серьезное разоружение.

Представьте себе, к примеру, что американское, английское, немецкое и французское правительства настояли на том, чтобы японское правительство немедленно прекратило свои военные операции в Китае под угрозой полного экономического бойкота. Неужели вы думаете, что японское правительство — каким бы оно ни было — будет готово взять на себя ответственность за то, чтобы подтолкнуть свою страну на такой опасный путь? Тогда почему так не делают? Почему каждый человек, каждая страна должны бояться за свою жизнь? Потому что каждый ищет лишь своей сиюминутной выгоды и отказывается подчинить свои желания благополучию и процветанию общества.

Именно поэтому я и начал с того, что сегодня судьба человечества как никогда зависит от его моральных сил. Путь к радости и счастью лежит через добровольные лишения и самоограничение во всем. Где же взять силы на подобный процесс? Только у тех, кто с юных лет имел возможность закалить свой ум и расширить

Чтобы свести опасность к минимуму, стараются ограничить количество вооружений и ввести правила, регулирующие ведение войны. Однако война — это не салонная игра, где все послушно соблюдают правила. Если речь идет о жизни и смерти, правила и обязательства никого не интересуют. Имеет смысл лишь полностью отказаться от войны как таковой.

кругозор при помощи образования. Вот почему мы, старшее поколение, взираем на вас с надеждой, что вы бросите все свои силы на достижение того, в чем нам было отказано.

27 февраля 1932 г.

К Зигмунду Фрейду

Дорогой профессор Фрейд!

Я восхищен тем, что стремление к истине победило в вас все прочие стремления. Вы с неопровержимой ясностью показали, как тесно инстинкты борьбы и разрушения связаны в человеческой психике с инстинктами любви и жизни. В то же время за безжалостной логикой ваших умозаключений просматривается неутолимая страсть к вершине этой логики — к освобождению человечества от войны. Эту цель декларировали все без исключения духовные и моральные лидеры, которых признавали и чтили далеко за пределами их стран и их эпох.

Я убежден, что великие люди — те, чьи достижения, пусть и в узкой области, ставят их выше собратьев, — в колоссальной степени вдохновляются теми же идеалами. Однако они не в силах влиять на политические события. Такое ощущение, что в этой сфере, от которой зависят судьбы народов, практически безраздельно царят насилие и безответственность.

Политические лидеры и правительства отчасти обязаны занимаемым положением силе, а отчасти — избранию на основе по-

Политические лидеры и правительства отчасти обязаны занимаемым положением силе, а отчасти — избранию на основе популярности. Их нельзя считать представителями лучших слоев общества в своих странах — ни с моральной, ни с интеллектуальной точки зрения.

пулярности. Их нельзя считать представителями лучших слоев общества в своих странах — ни с моральной, ни с интеллектуальной точки зрения. В наши дни интеллектуальная элита не в состоянии непосредственно влиять на судьбы стран, у нее нет надежной связи с правительствами, и это мешает ей прямо участвовать в решении современных проблем. Не кажется ли вам, что это можно изменить, если создать независимую ассоциацию людей, чьи труды и достижения на данный момент гарантируют и весомость их мнений, и чистоту намерений? Подобная международная ассоциация, разумеется, будет подвержена всем недостаткам, которые так часто приводят к распаду ученых сообществ, и опасностям, неразрывно связанным с несовершенством человеческой натуры. Все это так — но разве не стоит все равно предпринять усилия в этом направлении? Такая попытка представляется мне не меньше чем настоятельной необходимостью.

Если удастся создать уважаемую интеллектуальную ассоциацию — примерно как я очертил, — она, несомненно, должна будет стараться мобилизовать и религиозные организации на борьбу против войны. Это поощрит и многих из тех, чьи добрые намерения в наши дни парализованы меланхолическим смирением. Наконец, я уверен, что ассоциация, созданная из таких людей, как я описал, — людей высоко ценимых каждый в своей области, — вполне способна оказать важнейшую моральную поддержку тем членам Лиги Наций, кто и в самом деле трудится ради великой цели, для которой существует эта организация.

Я предпочел изложить эти соображения вам и только вам, поскольку вы менее всех на свете подвержены пустым желаниям и поскольку ваше критическое суждение подкреплено самым серьезным чувством ответственности.

1932 г.

Всеобщая воинская повинность

Отрывок из письма

Вместо того чтобы давать Германии право ввести всеобщую воинскую повинность, лучше бы лишить его всех остальных — в будущем надо запретить любые армии, кроме наемнических, а численность и вооружение таких формирований обсуждать в Женеве. Так для Франции было бы лучше, чем позволять Германии вводить всеобщую воинскую повинность. Тогда удалось бы избежать и злокачественного воздействия на психику, которое оказывает военное образование, и связанного с ним попрания прав личности.

Более того, двум странам, заключившим договор, согласно которому все споры, возникающие в их взаимоотношениях, следует улаживать при помощи арбитража, было бы гораздо проще, если бы они создали из своих наемных военных формирований единую организацию со смешанным персоналом. Это и принесло бы финансовую выгоду, и укрепило бы безопасность обеих стран. А впоследствии процесс слияния только расширялся бы, комбинированные армии становились бы крупнее — и в результате возникла бы «международная полиция», численность которой затем обязательно сократилась бы благодаря укреплению безопасности во всем мире.

Не согласитесь ли вы обсудить это предложение с нашими друзьями, чтобы дело сдвинулось с места? Разумеется, я ни в малейшей степени не настаиваю на своем предложении. Однако мне представляется, что нам необходимо выдвинуть позитивную программу — политика полного отрицания едва ли приведет к практическим результатам.

1935 г.

Германия и Франция

Взаимное доверие и сотрудничество между Францией и Германией возможно только в том случае, если будут удовлетворены требования Франции обеспечить ей безопасность от военного вмешательства. Однако если бы Франция оформила свои требования именно так, Германия, несомненно, восприняла бы этот шаг крайне недоброжелательно.

Тем не менее представляется возможным провести примерно следующую процедуру. Пусть правительство Германии по своей воле предложит французам сообща обратиться к Лиге Наций, чтобы все государства-члены связали себя следующими обязательствами:

1) Обращаться за любыми решениями в международный арбитражный суд.

2) Выступать объединенными экономическими и военными силами в согласии с остальными членами Лиги Наций против любого государства, нарушившего мир или отказавшегося следовать международному решению, принятому в интересах мира во всем мире.

Арбитражный суд

Систематическое разоружение за короткий срок. Это возможно лишь в сочетании с гарантиями безопасности для каждой отдельной страны на основании постоянно действующего арбитражного суда, не зависимого от правительств.

Безусловная обязанность всех стран — не просто соглашаться с решениями арбитражного суда, но и осуществлять их.

Отдельные арбитражные суды для Европы с Африкой, Америки и Азии (Австралию следует присоединить к одному из них). Объединенный арбитражный суд для вопросов, которые нельзя решить в пределах любого из этих трех регионов.

Ок. 1920 г.

Научный интернационал

На одном заседании Академии во время войны — в те времена, когда националистические и политические страсти накалились до предела — Эмиль Фишер[1] подчеркнул: «Это бессмысленно, господа: наука была и остается делом международным». Подлинно великие ученые всегда это понимали и глубоко чувствовали — даже хотя в периоды политических коллизий они стоят особняком от коллег меньшего калибра. Во время войны подобные массы рядовых избирателей предали свое священное братство. Международное сообщество академий распалось. На конференции не допускались коллеги из стран, воевавших по разные стороны — и такое бывает и сейчас. Политические соображения, к которым относятся с крайней серьезностью, препятствуют торжеству объективного образа мысли, без которого мы никогда не достигнем своих великих целей.

Что же могут сделать люди трезво мыслящие, люди, служащие нам защитой от эмоциональных соблазнов сегодняшнего дня, чтобы загладить этот ущерб? Большинство работников умственного труда до сих пор пребыва-

---

[1] Фишер, Герман Эмиль (1852–1919) — немецкий химик, лауреат Нобелевской премии.

ют в таком смятении, что в наши дни едва ли удастся провести подлинно международные, крупномасштабные конгрессы. Психологические препоны восстановлению международных научных сообществ пока что так грозны, что их не под силу преодолеть меньшинству, чьи идеи и чувства отличаются большей широтой. Зато это меньшинство может поучаствовать в великом деле восстановления международных обществ, если сохранит тесные контакты со своими единомышленниками по всему миру и будет твердо отстаивать международные позиции в своей сфере.

Крупного успеха придется подождать, но он, конечно, будет. Не упущу возможности воздать должное тому, как бережно все эти трудные годы лелеяли в своих сердцах желание сохранить интеллектуальное братство многие наши коллеги, особенно англичане.

Правильная точка зрения у каждого отдельного человека всегда надежнее, чем официальные заявления. Люди здравомыслящие должны об этом помнить и не позволять себе сердиться и ступать на *ложный путь*: «*Senatores boni viri, senatus autem bestia*».[1]

Да, я полон уверенности и надежды на прогресс международной научной организации в целом, и это чувство основано не толь-

---

[1] Перевод см. с. 78.

ко на вере в разум и здравомыслие коллег, но и на непреодолимом давлении экономического развития. А поскольку оно зависит в основном от деятельности ученых, в том числе реакционеров, то и они помогут создать международную организацию, пусть и против своей воли.

1922 г.

Институт интеллектуального сотрудничества

В течение этого года ведущие европейские политики впервые сделали логический вывод из аксиомы, согласно которой наша часть планеты снова начнет процветать только при условии, что прекратится подковерная борьба между традиционными политическими силами. Политическую организацию Европы следует укрепить — и постепенно ликвидировать барьеры таможенных пошлин. Этой великой цели нельзя достигнуть при помощи одних только договоренностей, — прежде всего следует подготовить к ней общественное мнение. Нам нужно постепенно пробудить в массах чувство солидарности, которое не будет, как сейчас, простираться не дальше государственных границ. Вот почему Лига Наций создала Международный комитет интеллектуального сотрудничества (Commission de cooperation intellectuelle). Этот Комитет должен быть полностью интернациональным и абсолютно свободным от политических влияний, и его задача — возродить общение интеллектуалов всех стран, изолированных войной. Дело это трудное, ведь, увы, приходится признать, что и люди искусства, и ученые, по

Приходится признать, что и люди искусства, и ученые, по крайней мере, в тех странах, с которыми я ближе всего знаком, находятся под влиянием косных националистических эмоций в гораздо большей мере, нежели предприниматели.

крайней мере, в тех странах, с которыми я ближе всего знаком, находятся под влиянием косных националистических эмоций в гораздо большей мере, нежели предприниматели.

До сих пор Комитет собирался дважды в год. Чтобы способствовать воплощению его постановлений, правительство Франции решило создать и финансировать постоянно действующий Институт интеллектуального сотрудничества, который мы и открываем. Это очень щедро со стороны французского народа, и нам всем следует быть за это благодарными.

Легко и приятно только хвалить и радоваться, а о том, что не нравится или что вызывает сожаления, молчать. Однако без честности и откровенности работа наша не продвинется, поэтому я не постесняюсь присоединить к похвале новорожденному еще и критику.

Я каждый день имею возможность наблюдать, что главное препятствие, с которым сталкивается в работе наш Комитет, — это недостаток уверенности в его политической беспристрастности. Нужно сделать все, чтобы укрепить эту уверенность, и избегать всего, что только может ей навредить.

Поэтому, когда французское правительство учреждает и финансирует Институт — постоянно действующий орган Комитета — в Париже, на общественные средства и назначает директором француза, сторонний наблюдатель едва ли сумеет удержаться от подозрения, что в Комитете преобладает французское влияние. Это впечатление лишь подтверждается тем фактом, что до сих пор и председателем самого Комитета тоже был француз. Хотя и тот, и другой — люди безупречной репутации, которых повсюду любят и почитают, впечатление, однако, сохраняется.

Dixi et salvavi animam meam.[1] От всего сердца надеюсь, что новый Институт благодаря тесному сотрудничеству с Комитетом добьется успеха в достижении общих целей и завоюет признание и уважение работников умственного труда во всем мире.

1926 г.

---

[1] Сказал — и облегчил душу (*лат.*)

Прощание

Письмо германскому секретарю Лиги Наций

Дорогой господин Дюфур-Феронс!

Нельзя оставить без ответа ваше теплое послание, иначе у вас сложится превратное представление о моей позиции. Мое решение больше не ездить в Женеву основано на следующем. Опыт, к сожалению, показал, что Комитет в целом не слишком стремится на деле добиться прогресса в улучшении международных отношений. Мне представляется, что он скорее воплощает принцип «*ut aliquid fieri videatur*».[1] В этом отношении Комитет, по моему мнению, даже хуже, чем Лига в целом.

Я твердо намерен покинуть Комитет именно потому, что хочу направить все свои силы на создание международной арбитражной и регулирующей организации, которая стояла бы выше государства, и именно потому, что эта цель так близка моему сердцу.

С легкой руки Комитета во всех странах притесняются культурные меньшинства — поскольку в каждой из стран предлагают создать Национальный комитет, который должен стать единственным каналом связи

---

[1] Чтобы казалось, будто что-то делается (*лат.*)

между интеллектуалами этой страны и Комитетом. Тем самым Комитет сознательно пренебрегает своей функцией обеспечить моральную поддержку национальным меньшинствам в борьбе с культурными притеснениями.

Далее, отношение Комитета к вопросам борьбы с шовинистическими и милитаристскими тенденциями в образовании в различных странах было таким прохладным, что нет ни малейшей надежды, что Комитет предпримет сколько-нибудь серьезные действия в этой фундаментально важной сфере. Комитету ни разу не удалось обеспечить моральную поддержку отдельным людям и ассоциациям, которые всецело посвятили себя делу международного порядка и борьбе с милитаризмом.

В Комитет неоднократно назначали новых членов, которые заведомо отстаивали тенденции, прямо противоположные тем, поддерживать которые — долг Комитета, и он ни разу этому не воспротивился.

Не стану утомлять вас дальнейшими доводами, поскольку по этим нескольким фразам вы прекрасно поймете, почему я принял такое решение. Моя задача — не предъявлять официальное обвинение, а просто объяснить свою позицию. Если бы у меня была хоть какая-нибудь надежда, я повел бы себя иначе — прошу вас в этом не сомневаться.

1923 г.

К вопросу о разоружении

Выступление на Конференции по разоружению

Главное препятствие успеху плана разоружения — тот факт, что люди в целом не знакомы с основными трудностями этой задачи. Большинство целей достигается последовательными шагами — например, смена абсолютной монархии демократией. Однако в данном случае перед нами стоит цель, которой невозможно достичь поэтапно.

Пока сохраняется возможность войны, страны будут всячески добиваться, чтобы военная подготовка у них была идеальной — только тогда они выйдут победителями из ближайшей войны. Кроме того, будет невозможно избежать военных традиций в образовании юношества и культивации узколобого национального тщеславия в сочетании с прославлением воинственного духа, ведь нужно готовить народ к ситуациям, когда этот дух понадобится гражданам в военных целях. Вооружаться — значит отдавать свой голос и бросать свои силы не на мир, а на войну. Поэтому никто не будет отказываться от военной силы шаг за шагом — надо или разоружаться сразу целиком и полностью, или не разоружаться вообще.

Подобная далеко идущая перемена в жизни стран предполагает серьезнейшие моральные трудности — ведь это сознательный отход от глубоко укоренившейся традиции. Всякий, кто не готов к тому, чтобы судьба своей страны в случае конфликта полностью зависела от решения международного арбитражного суда, и не готов сразу же заключить соответствующий договор, на самом деле не хочет избежать войны. Или все, или ничего.

Нельзя отрицать, что прежние попытки обеспечить мир во всем мире потерпели неудачу, так как требовали неадекватных компромиссов.

Разоружение и безопасность должны следовать бок о бок. Единственная гарантия безопасности — осуществить решения международных властей.

Итак, мы стоим на распутье. От нас зависит, найдем ли мы мирный путь или и дальше пойдем тропой грубой силы, недостойной нашей цивилизации. По одну сторону нас манят свобода личности и безопасность общества, по другую нам грозят рабство и уничтожение цивилизации. Мы получим то, чего заслуживаем.

1932 г.

Итак, мы стоим на распутье. От нас зависит, найдем ли мы мирный путь или и дальше пойдем тропой грубой силы, недостойной нашей цивилизации. По одну сторону нас манят свобода личности и безопасность общества, по другую нам грозят рабство и уничтожение цивилизации. Мы получим то, чего заслуживаем.

ГЛАВА 2

Часть I

$$+\log\frac{T_{ef}}{K}+2\log\frac{R}{R_\odot}-4\log\frac{T_\odot}{K} \quad \frac{\sin\alpha}{\sin\beta}=\frac{V_1}{V_2} \quad \frac{w_2}{w_1} \quad \lambda=\frac{h}{\sqrt{2eU m_e}} \quad f_0=\frac{1}{2\pi\sqrt{LC}} \quad I=$$

$$\sqrt{\frac{3kTN_A}{M_{lm}}}=\sqrt{\frac{3R_mT}{M_R\cdot10^{-3}}} \quad P=\frac{E}{c}=\frac{hf}{c}=\frac{h}{\lambda} \quad V=V_1(1+\beta\Delta t) \quad U_{ef}=\frac{U_m}{\sqrt{2}}$$

$$\frac{1}{m}\left[\frac{1}{R^2}+\left(\frac{1}{X_C}-\frac{1}{X_L}\right)^2\right] \quad X_L=\frac{U_m}{I_m}=\omega L=2\pi fL \quad \vec{F_m}=\vec{B}I\ell=\frac{\mu I_1 I_2}{2\pi d}\ell$$

$$E=mc^2 \quad E_k=\frac{h^2}{8mL^2}h^2 \quad \beta=\frac{\Delta I_C}{\Delta I_B} \quad P=\frac{\vec{F}}{\Delta S}=\frac{m\Delta V}{\Delta S\Delta t} \quad \vec{B}=\mu\frac{NI}{\ell} \quad R=\rho\frac{\ell}{S}$$

$$V=\frac{\omega h}{2\pi r m_e} \quad \Phi_e=\frac{L}{4\pi r^2} \quad U=\frac{W_{AB}}{\varphi}=\frac{|E_{PA}-E_{PB}|}{\varphi} \quad Q=mc\Delta t$$

$$F_x=\frac{1}{2}C_x\rho S\vartheta^2 \quad \nabla\times\left(-\frac{\partial\vec{B}}{\partial t}\right)=-\frac{\partial}{\partial t}(rot\vec{B})=-\mu_0\frac{\partial}{\partial t}\left(\frac{\partial B}{\partial t}\right)=\varepsilon_0\mu_0\frac{\partial^2 E}{\partial t^2}$$

$$E=\frac{E_C}{9}\int_{-a/2}^{+a/2}\sin(\omega t+\phi)dy \quad \oint_{C(S)}\vec{H}d\vec{\ell}=\iint_S\left(\vec{J}+\frac{\partial\vec{D}}{\partial t}\right)\cdot d\vec{S} \quad \lambda=\frac{\ln 2}{T}$$

$$\sin\omega(t-\tau)=U_m\sin 2\pi\left(\frac{t}{T}-\frac{x}{\lambda}\right) \quad E_k=\frac{1}{2}mv^2 \quad S=\frac{1}{A}\frac{d\omega}{dt}$$

$$=-\iint_S\frac{\partial\vec{B}}{\partial t}\cdot d\vec{S} \quad E_e=k\frac{\varphi_1\varphi_2}{r^2} \quad \vec{\psi}=\iint_S\vec{B}d\vec{S}=AD$$

$$\frac{\varphi}{r^2}\oint_{C(S)}\vec{B}d\vec{\ell}=\mu\iint_S\vec{J}d\vec{S} \quad f'=\frac{n_a\cdot n_b}{(n-1)(n_b-n_a)}
$$

Не начать ли мне с заметки о политической вере? Дело обстоит примерно следующим образом. Государство для человека, а не человек для государства. В этом смысле наука напоминает государство. Все это — древние слова, пущенные в обращение людьми, для которых человеческая личность была величайшей ценностью. Я бы не стал повторять их — однако мы постоянно рискуем их забыть, особенно в наш век организации и механизации. Мне представляется, что первейший долг государства — защищать личность и дать ей возможность развить все свои творческие способности.

Из этого следует, что государство должно быть нашим слугой, а не мы — его рабами. Государство нарушает этот постулат, когда силой заставляет нас идти на военную службу, и это тем более верно, что в результате нашей рабской службы погибают люди, граждане других стран, или нарушается их свободное развитие. Мы должны приносить государству только такие жертвы, которые способствуют свободному развитию отдельных личностей. Это очевидно любому американцу — но не любому европейцу. Следовательно,

Первейший долг государства — защищать личность и дать ей возможность развить все свои творческие способности.

можно рассчитывать, что борьба против войны найдет поддержку среди американцев.

А теперь — о Конференции по разоружению. Как следует относиться к ней — со слезами, со смехом, с надеждой? Представьте себе город, населенный свирепыми, бесчестными, вспыльчивыми людьми. Постоянная угроза жизни в таком городе, пожалуй, будет серьезным препятствием для здорового развития. Глава города желает исправить столь ужасное положение дел, хотя все его советники и остальные горожане настаивают на праве и дальше носить за поясом кинжал. После долгих лет подготовки глава города решает пойти на компромисс и ставит вопрос об ограничении длины и остроты кинжала, который вправе носить при себе каждый горожанин. Поскольку хитрые горожане не соглашаются принять закон, запрещающий поножовщину, суды и полиция не преследуют за нее, поэтому все, само собой, идет по-прежнему. Определение допустимой длины и остроты кинжала поможет только самым сильным и задиристым, которые получат право казнить и миловать слабых.

Все вы понимаете смысл этой притчи. Да, у нас есть Лига Наций и арбитражный суд. Однако Лига — не более чем зал собраний, а у суда нет инструментов, чтобы проводить в жизнь свои решения. В случае войны эти институты не обеспечат безопасности ни одной страны. Если вы это учтете, то перестанете так резко осуждать позицию французов, отказавшихся разоружаться без гарантий безопасности.

Если мы не сможем достичь согласия и ограничить самостоятельность каждого отдельного государства и не возьмем на себя обязательства сообща выступить против любой страны, которая тайно или открыто воспротивится решениям арбитражного суда, нам не выйти из состояния вселенской анархии и террора. Никакая ловкость рук не позволит сочетать неограниченную самостоятельность отдельной страны с защитой от военного вмешательства. Неужели нужны катастрофы — а иначе страны не возьмут на себя труд исполнять каждое решение общепризнанного международного суда? Пока что ход событий едва ли позволяет надеяться на улучшение в ближайшем будущем. Однако всякий, кого заботит судьба цивилизации и правосудия, обязан всеми силами убеждать собратьев в необходимости заставить все страны взять на себя подобного рода обязательства.

Против подобных представлений можно — не без оснований — выдвинуть довод, что они переоценивают значение машинерии и пренебрегают психологическими, точнее — моральными факторами. Многие настаивают, что материальному разоружению должно предшествовать духовное. Далее — и не без оснований — они утверждают, что главное препятствие международному порядку — чудовищно раздутый дух национализма, который неотъемлемо связывают с идеей патриотизма — сама по себе она прекрасна, однако зачастую понимается превратно. За последние полтора столетия этот кумир приобрел повсюду нечестивую и все более гибельную власть.

Чтобы объективно оценить это возражение, следует понять, что между внешней машинерией и внутренними умонастроениями существует взаимосвязь. Причем дело не только в том, что машинерия зависит от традиционного образа чувств и обязана ему и происхождением, и существованием, — дело в том, что существующая на сегодняшний день машинерия, в свою очередь, обладает мощным влиянием на национальный образ чувств.

Прискорбно сильное развитие и распространение национализма в наши дни, по моему мнению, теснейшим образом связано с институтом всеобщей воинской повинности или, назовем ее не таким обидным словом, институтом национальной армии. Страна, которая требует от своих обитателей военной службы, вынуждена воспитывать в них националистический дух, обеспечивающий психологическую основу боеспособности армии. Подобная религия требует, чтобы государство сделало свое орудие — грубую силу — предметом восхищения юношества в школах.

Поэтому введение всеобщей воинской повинности представляется мне главной причиной морального коллапса белой расы, который ставит под серьезную угрозу не только существование нашей цивилизации, но и нашу физическую сохранность. Эта общественная язва берет начало в Великой Французской Революции, которая, впрочем, принесла обществу и много величайших благ, — а все остальные страны вскоре последовали примеру Франции.

Поэтому каждый, кто стремится к укреплению духа международного сотрудничества и борется с шовинизмом, должен твердо выступить против всеобщей воинской повинности. Разве вам не кажется, что жестокие преследования, которым подвергаются сегодня все те, кто честно и открыто возражает против всеобщей воинской повинности, позорят общество даже больше, чем преследования мучеников религии в минувшие столетия? Може-

Прискорбно сильное развитие и распространение национализма в наши дни, по моему мнению, теснейшим образом связано с институтом всеобщей воинской повинности или, назовем ее не таким обидным словом, институтом национальной армии.

те ли вы — подобно пакту Келлога[1] — осудить войну и в то же время предоставить каждого гражданина каждой страны в распоряжение военной машины?

Если Конференция по разоружению постановит, что мы не должны ограничиваться техническими организационными проблемами, а обязаны еще и прямо подойти к решению психологических задач посредством образования, нам следует на международной основе найти легальный способ отказаться от службы в армии, которым может воспользоваться каждый гражданин. Несомненно, подобный законодательный акт окажет колоссальное моральное воздействие.

Итак, подведу черту: простыми договоренностями об ограничении вооружений никакой безопасности не обеспечить. Для подкрепления решений обязательного арбитража страны-участницы должны гарантировать создание исполнительных органов, которые со-

Нам следует на международной основе найти легальный способ отказаться от службы в армии, которым может воспользоваться каждый гражданин.

---

[1] Пакт Келлога (Парижский пакт) — договор об отказе от войны как средства решения международных споров. Подписан в 1928 году. К концу 1938 года к нему присоединилось 63 государства.

обща выступят против нарушителя мирных соглашений со всевозможными военными и экономическими санкциями. Всеобщей воинской повинности следует противиться как оплоту нездорового национализма, а главное — нужно на международном уровне обеспечить защиту всех тех, кто честно и открыто возражает против нее.

Наконец, предлагаю вашему вниманию книгу Людвига Бауэра «Завтра снова война», где все затронутые вопросы обсуждаются остро, непредвзято и с глубоким пониманием психологической стороны дела.

1932 г.

ГЛАВА 2

Часть II

$$\log \frac{T_{ef}}{K} + 2\log \frac{k}{R_0} - 4\log \frac{T_0^C}{k} \qquad \frac{\sin\alpha}{\sin\beta} = \frac{V_1}{V_2} \quad \frac{m_2}{m_1} \quad \lambda = \frac{h}{\sqrt{2e\,U m_e}} \quad f_0 = \frac{1}{2\pi\sqrt{CL}}$$

$$M_\pi = \sigma T^4 \quad m_0 = \frac{M_m}{N_A} = \frac{M_r \cdot 10^{-3}}{N_A}$$

$$\sqrt{\frac{3kTN_A}{M_m}} = \sqrt{\frac{3R_m T}{M_R \cdot 10^{-3}}} \quad \rho = \frac{E}{C} = \frac{hf}{c} = \frac{h}{\lambda} \quad V = V_1(1+\beta\Delta t) \quad U_{ef} = \frac{U_m}{\sqrt{2}} \quad F_g = \frac{m_1 m_2}{r^2} \mathcal{E}$$

$$\left[\frac{1}{R^2} + \left(\frac{1}{x_c} - \frac{1}{x_L}\right)^2\right] \quad X_L = \frac{U_m}{I_m} = \omega L = 2\pi f L \quad \vec{F}_m = \vec{B} I \ell \quad \frac{\mu_1 I_1 I_2}{2\pi d} \ell \quad \sigma = \frac{Q}{S} \quad W_2 =$$

$$E = mc^2 \quad E_k = \frac{h^2}{8mL^2} h^2 \quad \beta = \frac{\Delta I_c}{\Delta I_B} \quad \rho = \frac{\vec{F}}{\Delta S} = \frac{m\Delta\vec{V}}{\Delta S \Delta t} \quad \vec{B} = \mu \frac{NI}{\ell} \quad R = \rho \frac{\ell}{S} \quad M = \vec{F}d$$

$$V = \frac{wh}{2\pi r m_e} \quad \phi_e = \frac{L}{4\pi^2} S \quad U = \frac{W_{AB}}{\varphi} = \frac{|E_{PA} - E_{PB}|}{\varphi} = |\varphi_A - \varphi_B| \quad \ell_t = \ell_0(1 + d\Delta t) \quad F_h =$$

$$M_2 \frac{4\pi^2 r}{T^2} \quad \nabla x\left(\frac{\partial \vec{B}}{\partial t}\right) = -\frac{\partial}{\partial t}(\operatorname{rot}\vec{B}) = -\mu_0\frac{\partial}{\partial t}\left(\frac{\partial b}{\partial t}\right) = \mathcal{E}_0\mu_0\frac{\partial^2 E}{\partial t^2} f_0 =$$

$$E = \frac{E_c}{q}\int_{-q/\lambda}^{+q/\lambda} \sin(\omega t + \phi)\,dy \quad \oint_{C(S)} \vec{H}d\vec{\ell} = \iint_S \left(\vec{J} + \frac{\partial \vec{D}}{\partial t}\right)\cdot d\vec{S} \quad \lambda = \frac{\ln_2}{T} \quad L = 10\ell$$

$$\frac{1_{pc}=\frac{1AU}{q}}{q}$$

$$w(t-T) = U_m \sin 2\pi\left(\frac{t}{T} - \frac{x}{\lambda}\right) E_k = \frac{1}{2}mv^2 \quad S = \frac{1}{A}\frac{dw}{dt} \quad F_g = \mathcal{E}\frac{M_0 M_2}{r^2} \quad V = \frac{1}{\sqrt{\mathcal{E}\cdot\mu}} \quad \left(\frac{E_t}{E_0}\right)_{\parallel} = \frac{2\cos\vartheta_1\cos\vartheta_2}{\cos(\vartheta_1-\vartheta_2)\sin(\vartheta}$$

$$= -\iint_S \frac{\partial \vec{B}}{\partial t}\cdot d\vec{S} \quad E = k\frac{q_1 q_2}{r^2} \quad \vec{\psi} = \iint \vec{B}d\vec{S} = AD \quad f' = \frac{n_a \cdot n_b}{(n-1)(n_b-n_a)} \quad \frac{w_1}{x} + \frac{w_2}{x'} = \frac{w_2-w_1}{n} \quad \zeta = \frac{1}{\mu}(\vec{E}$$

$$\frac{\varphi}{r^2}\oint_{C(S)} \vec{B}d\vec{\ell} = \mu\iint_S \vec{J}d\vec{S}$$

Неужели это не страшно, когда общество заставляет человека совершать поступки, которые каждый гражданин считает отвратительными преступлениями?

Изобретательский гений человека за последние сто лет подарил нам столько благ, что если бы политическая организация поспевала за техническим прогрессом, жизнь стала бы счастливой и беззаботной. Но пока что все эти достижения, стоившие немалых трудов, в руках нашего поколения — все равно что бритва в руках трехлетнего ребенка. Обретение чудесных средств производства вместо свободы привело к голоду и заботам.

Особенно печальны результаты технического прогресса в тех сферах, где они обеспечивают средства для уничтожения человеческой жизни и плодов тяжелого труда — как мы, представители старшего поколения, с ужасом наблюдали во время Мировой войны. Однако, по моему мнению, война приводит к последствиям даже страшнее разрушений — я имею в виду унизительное рабство, в которое она ввергает отдельную личность. Неужели это не страшно, когда общество заставляет человека совершать поступки, которые каждый гражданин считает отвратительными преступлениями? Моральных сил сопротивляться хватает лишь у немногих — их я считаю подлинными героями Мировой войны.

Есть лишь один проблеск надежды. Я уверен, что ответственные лидеры стран в общем и целом искренне желают искоренить войны. Сопротивление этому важнейшему шагу к прогрессу коренится лишь в прискорбных национальных традициях, которые передаются из поколения в поколение, словно наследственная болезнь — посредством системы образования. Главным средством для передачи этой традиции служат военное обучение и его почитание, а также та часть прессы, которую контролируют военные и тяжелая промышленность. Без разоружения долгосрочного мира не добиться. Напротив, если подготовка к войнам будет идти и дальше в прежнем масштабе, это неминуемо приведет к новым катастрофам.

Вот почему Конференция по разоружению 1932 года решит судьбу и нынешнего, и следующих поколений. Если задуматься о том, сколь жалкими в общем и целом были результаты предыдущих конференций, станет очевидно, что долг всех мыслящих и ответственных людей — бросить все силы на то, чтобы неустанно напоминать обществу, какую важную роль сыграет Конференция 1932 года. Государственные деятели смогут добиться этой великой цели, только если почувствуют, что решающее большинство населения из стран желает мира, а чтобы сформировать такое общественное мнение, каждый из нас должен отвечать за каждое свое слово, за каждый свой поступок.

Судьба Конференции была бы решена, если бы делегаты прибыли на нее с готовыми наказами, исполнение которых вскоре станет для них вопросом репутации. Представляется, что в целом так и есть. Ведь встречи между государственными деятелями один на один — а в последнее время такие встречи проводились очень часто — подготовили почву для Конференции, так как на них шла речь о вопросах разоружения. Мне кажется, это очень удачная находка — ведь два человека или небольшая компания обычно способны обсуждать любые вопросы разумно, честно и бесстрастно, когда нет третьих глаз, при которых нужно тщательно следить за всем, что говоришь. Мы можем надеяться на счастливый исход, только если Конференция будет тщательно подготовлена в ходе подобных встреч, — тогда мы исключим любые сюрпризы, а искренняя доброжелательность создаст обстановку спокойствия и уверенности.

Когда решаются такие глобальные вопросы, успех зависит не от хитроумия и тем более не от лукавства, а от честности и уверенности. Моральную составляющую невозможно вытеснить рациональными соображениями — и слава богу! А каждый отдельный наблюдатель обязан не только ждать и критиковать. Он должен служить на благо общего дела всеми силами. Мир ждет та участь, какую он заслуживает.

Ок. 1932 г.

Америка
и Конференция по разоружению

В наши дни американцев по большей части тревожит и заботит экономическое положение в собственной стране. Усилия их ответственных лидеров направлены в основном на борьбу с масштабной безработицей у себя на родине. Ощущение сопричастности к судьбам остального мира, а в особенности матери-Европы, у них сейчас даже слабее обычного.

Однако свободная игра экономических сил сама по себе не преодолеет этих трудностей. Общество должно принять регулятивные меры, чтобы обеспечить правильное распределение и труда, и товаров широкого потребления среди населения — иначе даже жители богатейших стран зачахнут в нужде. Дело в том, что поскольку для удовлетворения нужд каждого человека теперь требуется меньше труда — благодаря усовершенствованию технических методов, — свободная игра экономических сил больше не приводит к положению вещей, когда вся доступная рабочая сила находит себе рабочие места. Чтобы результаты технического прогресса служили на благо всем, нужна тщательная регуляция и организация.

Если даже экономику невозможно привести в порядок без систематической регуляции, как же необходима подобная регуляция в вопросах международной политики! Лишь немногие по сей день придерживаются той точки зрения, что акты насилия в виде войн и целесообразны, и представляют собой достойный человечества способ решать международные задачи. Однако у нас не хватает логики, чтобы предпринимать решительные меры для предотвращения войны — этого дикарского, недостойного пережитка варварской эпохи. Нужны определенные логические способности, чтобы ясно увидеть эту картину, и определенная отвага, чтобы твердо и на деле отстаивать идею пацифизма.

Всякий, кто всерьез хочет избавить человечество от войн, должен открыто объявить, что стоит за то, чтобы его страна отказалась от некоторой доли суверенитета в пользу международных институций.

Он должен быть готов добиваться, чтобы в случае споров его страна отвечала перед международным судом. Он должен самым бескомпромиссным образом поддерживать всеобщее разоружение, как уже, по сути дела, описано в Версальском мирном договоре, который ждала такая несчастливая судьба; если не искоренить военное образование и агрессивно-патриотическое воспитание, рассчитывать на прогресс не приходится.

В последние несколько лет ведущие цивилизованные страны навлекли на себя небывалый позор — не сумели исполнить решения всех конференций по разоружению до единой; этот провал объясняется не только честолюбивыми интригами не слишком щепетильных политиканов, но и безразличием и вялостью общества во всех странах. Если положение не изменится, мы сведем на нет все подлинно ценные достижения своих предшественников.

Я уверен, что дело только в том, что американский народ не до конца понимает свою ответственность в этом вопросе. Рядовой американец, несомненно, думает примерно так: «Если эту Европу погубят ее злобные, задиристые обитатели — пропади она пропадом! Доброе семя, которое посеял наш Вильсон,[1] на каменистой европейской почве не дало урожая. А мы сильные, себя в обиду не дадим, так что ни к чему нам лезть не в свое дело».

Так думать одновременно и недальновидно, и подло. В трудностях Европы отчасти повинна и Америка. Она настаивала на своих притязаниях, не зная жалости, и тем самым

---

[1] Вильсон, Томас Вудро (1856–1924) — президент США в 1913–1921 годах.

подхлестнула экономический, а вместе с ним и моральный коллапс Европы, она помогла балканизировать Европу и тем самым отчасти ответственна и за крушение морали в политике, и за укрепление духа возмездия, который подпитывает наше отчаяние. Границы американского государства не станут препятствием для этого духа — я чуть было не написал «не стали». Оглянитесь вокруг — и посмотрите вперед.

Правду можно сформулировать кратко: Конференция по разоружению — это последний шанс не только для нас, но и для вас сохранить все то лучшее, что произвело цивилизованное человечество. А поскольку вы — самые сильные и самые разумные среди нас, именно на вас устремлены взоры и надежды всего человечества.

Ок. 1932 г.

Активный пацифизм

Мне повезло стать свидетелем масштабной мирной демонстрации, которую устроили фламандцы. Чувствую своим долгом ради будущего обратиться с призывом от имени всех людей доброй воли: «В этот час, когда у нас открылись глаза и пробудилась совесть, мы чувствуем с вами самую тесную связь».

Не будем себя обманывать: без тяжкой борьбы улучшить нынешнее удручающее положение дел не удастся, ведь горстка храбрецов, которые уже полны решимости действовать, ничтожно мала по сравнению с массой заблуждающихся и безразличных. А те, кто заинтересован в том, чтобы военная машина продолжала действовать, — весьма могущественная сила; они ни перед чем не остановятся, лишь бы заставить общественное мнение служить своим убийственным целям.

Похоже, современные правители и в самом деле прилагали старания, чтобы обеспечить стабильный мир. Однако неустанное наращивание вооружений ясно показывает, что политики не в состоянии противостоять враждебным силам, которые готовят войну. По моему мнению, избавление могут принести лишь сами граждане. Если они хотят избежать унизительного рабства военной службы, то должны объявить прямо и недвусмысленно, что стоят за полное разоружение. Пока существуют армии, любые серьезные раздоры неизбежно ведут к войне. Пацифизм, который не пытается избавить народы от вооружений, был, есть и будет бессильным.

Пусть пробудится в людях совесть и здравый смысл — и тогда мы сможем выйти на новую ступень в жизни народов, когда они будут вспоминать войну как непостижимое заблуждение своих праотцев!

Пока существуют армии, любые серьезные раздоры неизбежно ведут к войне. Пацифизм, который не пытается избавить народы от вооружений, был, есть и будет бессильным.

Письмо стороннику мира

До меня дошли вести о том, что вы в своем великодушии, движимый состраданием к человечеству и его судьбе, скромно вершите великий труд. Как мало на свете тех, у кого подлинно есть глаза и сердце. Однако именно их сила решит, удастся ли уберечь человечества от того отчаянного положения, которое слепое большинство, судя по всему, считает сегодня идеалом.

О, если бы народы поняли, пока не поздно, что если они хотят избежать всеобщей бойни, все равно придется пожертвовать львиной долей национального самосознания! Совесть и дух международного сотрудничества оказались в этом бессильны. В настоящий момент они так слабы, что допускают переговоры со злейшими врагами цивилизации. Подобные соглашения — преступление против человечества, а их выдают за политическую мудрость.

Нельзя разочаровываться в человечестве — ведь мы и сами люди. То, что на свете есть выдающиеся борцы вроде вас — вдохновенные и бестрепетные, — уже утешение.

О, если бы народы поняли, пока не поздно, что если они хотят избежать всеобщей бойни, все равно придется пожертвовать львиной долей национального самосознания! Совесть и дух международного сотрудничества оказались в этом бессильны.

Снова о том же

Дорогой друг и собрат по духу!

Откровенно говоря, декларация, подобная той, которую я держу в руках, в стране, которая в мирное время призывает своих граждан на военную службу, представляется мне бессмысленной. Бороться следует за избавление от всеобщей воинской повинности. Ведь победа в 1918 году досталась французскому народу дорогой ценой — эта победа во многом и ввергла его в позорнейшую из всех разновидностей рабства. Не опускайте рук в этой борьбе. У вас есть могучий союзник — немецкие милитаристы и реакционеры. Если Франция сохранит у себя всеобщую воинскую повинность, ее введут и в Германии — едва ли удастся отложить это надолго. Ведь борьба немцев за равноправие в конце концов увенчается успехом, и тогда на каждого военного раба-француза придется по два военных раба-немца, а это, конечно, не в интересах Франции.

Только если нам удастся вовсе отменить всеобщую воинскую повин-

Только если нам удастся вовсе отменить всеобщую воинскую повинность, можно будет воспитывать в молодежи дух миролюбия, радости жизни и любви ко всему живому.

Я уверен, что если 50 000 человек одновременно, получив повестку, откажутся служить в армии по идейным соображениям, сопротивляться этому будет невозможно. В одиночку тут мало чего можно добиться — да и кому захочется смотреть, как лучших из нас раздавит военная машина, за которой стоят три огромные силы: глупость, алчность и страх.

ность, можно будет воспитывать в молодежи дух миролюбия, радости жизни и любви ко всему живому. Я уверен, что если 50 000 человек одновременно, получив повестку, откажутся служить в армии по идейным соображениям, сопротивляться этому будет невозможно. В одиночку тут мало чего можно добиться — да и кому захочется смотреть, как лучших из нас раздавит военная машина, за которой стоят три огромные силы: глупость, алчность и страх.

И еще по тому же поводу

Дорогой друг!

Вопрос, который вы затрагиваете в своем письме, — это вопрос первостепенной важности. Военная промышленность, как вы говорите, — это одна из величайших опасностей, нависших над человечеством. Это тайная злая сила, стоящая за национализмом, который бушует повсюду.

Возможно, чего-то можно достичь национализацией. Однако очень трудно в точности определить, какие именно отрасли промышленности следует сюда включить. Надо ли национализировать производство воздушных судов? В какой степени это касается металлообрабатывающей и химической промышленности?

Что касается производства амуниции и экспорта военных материалов, Лига Наций много лет прилагает все усилия, чтобы контролировать эту кошмарную деятельность, — и все мы знаем, как невелики ее успехи. В прошлом году я спросил у одного известного американского дипломата, почему Японию за ее политику силы не наказывают экономическим бойкотом. «Коммерческие интересы перевешивают», — был ответ. Разве можно помочь народу, которого удовлетворяет подобный ответ?!

Вы полагаете, будто моего слова будет достаточно, чтобы добиться чего-то в этой сфере? Какое заблуждение! Мне льстят, пока я не начну перечить. Но если я и обращусь напрямую к властям — они так слабы, что допускают переговоры со злейшими врагами цивилизации. Подобные соглашения — преступление против человечества, а их выдают за политическую мудрость.

Насколько я могу судить, этот кризис по характеру отличается от кризисов в прошлом, поскольку в его основе лежит совершенно новая совокупность обстоятельств, вызванных стремительным прогрессом методов производства. Чтобы произвести все потребительские товары, необходимые для жизни, нужна всего лишь малая доля доступной в мире рабочей силы. При полной свободе экономической системы этот фактор неизбежно приведет к безработице. По причинам, которые я не собираюсь здесь анализировать, большинство населения вынуждено трудиться за минимальную оплату, на которую едва удается прожить. Если два завода производят один и тот же товар, то при прочих равных условиях производство обойдется дешевле тому из них, где занято меньше рабочих, то есть тому, который заставляет каждого отдельного рабочего работать так много и с такой отдачей, как только допускает человеческая природа. Из этого неизбежно следует, что методы производства в своем сегодняшнем состоянии задействуют лишь часть доступной рабочей силы. И хотя к этой части работников предъявляют непомерные требования, все остальные автоматически исключаются из процесса производства. В результате падают продажи и прибыли. Предприятия рушатся — а это еще больше увеличивает безработицу и подрывает веру в промышленные концерны, а следовательно, и участие общества в деятельности банков-посредников; в конце концов и банки приходят к банкротству, поскольку из них внезапно забирают все вклады, после чего механизмы промышленности окончательно застопориваются.

Кроме того, у кризиса находят и другие причины; рассмотрим и их.

1) Перепроизводство. Тут нам следует различать два процесса — истинное перепроизводство и мнимое перепроизводство. Истинным перепроизводством я называю производство огромного количества товаров, превосходящего спрос. Так, возможно, обстоят дела с производством пшеницы и автомобилей в Соединенных Штатах в настоящий момент, хотя и это сомнительно. Обычно под «перепроизводством» имеют в виду положе-

ние вещей, когда производится больше какого-то конкретного наименования товаров, чем удастся продать в нынешних обстоятельствах, несмотря на то, что потребителям недостает товаров широкого потребления в целом. Подобное положение вещей я называю мнимым перепроизводством. В таком случае недостает не спроса, а покупательной способности у потребителей. Подобное мнимое перепроизводство — лишь другое название того же кризиса, а потому нельзя объяснять кризис перепроизводством, — следовательно, все те, кто пытается взвалить вину за кризис на перепроизводство, попросту жонглируют словами.

2) Репарации. Обязательство выплачивать репарации ложится тяжким бременем на народы-должники и их промышленность, вынуждает их прибегать к демпингу и тем самым вредит и народам-кредиторам. Это бесспорно. Однако то, как выглядит кризис в Соединенных Штатах — несмотря на плотину высоких тарифов, — доказывает, что это не может быть принципиальной причиной мирового кризиса. Недостаток золота у стран-должников, вызванный репарациями, может служить самое большее доводом в пользу того, чтобы положить конец этим выплатам, — нельзя выдавать его за причину мирового кризиса.

3) Возведение непомерных тарифных барьеров, увеличение нецелесообразного бре-

мени вооружений, политическая нестабильность, вызванная скрытой опасностью войны — все это существенно усугубляет тяготы Европы, однако не оказывает материального влияния на Америку. То, как протекает кризис в Америке, показывает, что для нее все это не существенные причины.

4) Выход из игры двух мировых держав — России и Китая. Этот удар по мировой торговле не затрагивает Америку сколько-нибудь прямо и поэтому не может быть значимой причиной кризиса.

5) Экономическое возвышение низших социальных классов после Мировой войны. Если предположить, что это действительно так, подобное обстоятельство может лишь вызвать недостаток товаров, но никак не переизбыток.

Не стану утомлять читателя перечислением дальнейших соображений, поскольку они, как мне кажется, не относятся к существу дела. В одном я уверен — тот самый технический прогресс, который сам по себе мог бы избавить человечество от львиной доли трудов, необходимых для жизнедеятельности, и стал главной причиной наших нынешних бедствий. Конечно, находятся люди, которые со всей серьезностью ратуют за запрет технических нововведений. Это, разумеется, нелепость. Но как же найти рациональный выход из тупика?

Если нам каким-то образом удастся удержать покупательную способность масс, измеренную в количестве и ассортименте товаров, выше определенного минимума, остановки промышленного цикла наподобие сегодняшней можно будет считать невозможными.

Самый логичный и при этом самый смелый метод достижения этой цели — полное планирование экономики, при котором товары широкого потребления производит и распределяет общество. В сущности, подобные попытки и предпринимаются в сегодняшней России. От того, к каким результатам приведет этот колоссальный эксперимент, зависит многое. Отваживаться на какие-то предсказания по этому поводу было бы самонадеянно. Удастся ли при такой системе производить продукцию так же экономично, как и при той, которая оставляет больше свободы индивидуальному предпринимательству? Сможет ли система поддерживать саму себя без террора, который сопровождал ее до сих пор — ведь на такое никто из нас, людей «западной культуры», не согласится? Не окажется ли, что подобная ригидная централизованная система будет сопротивляться введению многообещающих новшеств? Однако нам следует быть осторожными и не допускать, чтобы подобные подозрения превращались в предрассудки, мешающие делать объективные суждения.

Лично я убежден, что следует предпочесть методы, уважающие существующие традиции и привычки, которые хоть сколько-нибудь совместимы с поставленной целью. И я, конечно, не считаю, будто внезапная передача управления промышленностью в руки общества принесет пользу с точки зрения производства; следует оставить частному предпринимательству свою сферу деятельности в той степени, в какой оно еще не уничтожено самой промышленностью в процессе создания картелей.

Однако экономическую свободу необходимо ограничить в двух вопросах. В каждой отрасли промышленности нужно законодательно сократить количество рабочих часов в неделю и тем самым систематически искоренить безработицу. В то же время следует зафиксировать минимальный размер заработной платы, чтобы покупательная способность рабочих поспевала за производством.

Далее, в тех отраслях, которые стали, в сущности, монополиями — так их организовали производители, — следует ввести государственный контроль над ценами, чтобы держать со-

Экономическую свободу необходимо ограничить в двух вопросах. В каждой отрасли промышленности нужно законодательно сократить количество рабочих часов в неделю и тем самым систематически искоренить безработицу. В то же время следует зафиксировать минимальный размер заработной платы, чтобы покупательная способность рабочих поспевала за производством.

здание нового капитала в разумных рамках и предотвратить искусственное сокращение производства и потребления. Таким образом, вероятно, можно было бы достичь должного равновесия между производством и потреблением без излишних ограничений свободного предпринимательства и одновременно положить конец недопустимой диктаторской власти тех, кто владеет средствами производства (землей, оборудованием и пр.), над теми, кто получает деньги за свой труд — в самом широком смысле слова.

Ок. 1930 г.

Культура и благосостояние

Если кто-то решит оценить, какой ущерб нанесла великая политическая катастрофа развитию человеческой цивилизации, ему следует помнить, что культура в своих высочайших проявлениях — тепличное растение, которое растет только в определенных условиях и цвести будет далеко не везде. Да и там, чтобы расцвести, ему нужен определенный уровень благосостояния, который позволит ничтожной доле населения трудиться над тем, что не связано непосредственно с поддержанием жизни; кроме того, ему нужна моральная традиция уважения к культурным ценностям и достижениям, из почтения к которой классы, производящие продукцию, необходимую для жизнедеятельности, снабжают этот класс средствами к существованию.

В течение последних ста лет Германия принадлежала к числу стран, где выполнялись оба условия. Благосостояние народа в целом было скромным, но достаточным; традиция уважения к культуре — очень сильной. На этой почве немецкий народ вырастил культурные плоды, составившие неотъемлемую часть культурного развития современного мира. Традиция в целом сохранилась; благосостояние кануло в прошлое. Промышленность

Германии практически полностью отрезана от источников сырья, на которых было основано существование той части населения, которая была занята на производстве. Избыток, необходимый для содержания работников умственного труда, внезапно исчез. С ним неизбежно должна исчезнуть и традиция, которая от него зависит, и плодоносный питомник культуры порастет сорной травой.

Пока человеческая раса придает значение культуре, в ее интересах предотвращать подобное оскудение. Она окажет всю возможную помощь в сложившемся критическом положении и возродит сообщество высшего чувства, которое сейчас оттеснено на задний план национальным эгоизмом, — сообщество, для которого человеческая личность ценна независимо от политики и государственных границ. И тогда она обеспечит каждому народу условия для работы, при которых он сможет существовать — и производить культурные плоды.

Производство
и покупательная способность

Я не верю, что наши нынешние трудности можно преодолеть, всего лишь выяснив, какое у нас производство и потребление, поскольку подобное знание, как правило, сильно запаздывает. Более того, главная беда Германии, как мне представляется, не в гипертрофии производственного оборудования, а в дефиците покупательной способности у большой доли населения, исключенной из производственного процесса в результате рационализации.

По моему мнению, золотой стандарт имеет серьезный недостаток: уменьшение поставок золота автоматически приводит к сокращению кредита, а также наличности в обороте, а договорные цены и заработная плата не успевают достаточно быстро приспособиться к этому сокращению. Мне представляется, что естественные средства против этой напасти таковы:

1) Законодательное сокращение рабочих часов, прописанное отдельно для каждой отрасли промышленности, цель которого — избавиться от безработицы, в сочетании с фиксированной минимальной заработной платой, призванной привести покупательную способ-

ность масс в соответствие с объемом доступных товаров.

2) Контроль над оборотом наличности и объемом кредитов с целью держать стабильный уровень цен; однако любые другие меры по защите ценообразования следует запретить.

3) Законодательное ограничение цен на те товары, которые практически исключены из свободной конкуренции вследствие монополизации и создания картелей.

7 ноября 1931 г.

Производство и рабочая сила

Ответ Кедерстрему[1]

Дорогой господин Кедерстрем,

Благодарю за то, что вы прислали мне свои предложения, которые меня очень заинтересовали. Поскольку я и сам так много размышлял над этим вопросом, думаю, что я имею право откровенно высказать свое мнение.

Мне кажется, что главная беда — практически неограниченная свобода на рынке труда в сочетании с беспрецедентным прогрессом в области методов производства. Сегодня, чтобы удовлетворить потребности населения планеты, нужна отнюдь не вся доступная рабочая сила. В результате возникает безработица и избыточная конкуренция среди рабочих — и то, и другое снижает покупательную способность населения и недопустимо подрывает всю экономическую систему.

Я знаю, что по мнению либеральных экономистов всякая экономия в рабочей силе уравновешивается ростом спроса. Однако, прежде всего, я в это не верю — и даже если бы это было и так, вышеуказанные факторы неизбеж-

---

[1] Кедерстрем, Карл Яльмар (1880–1953) — шведский архитектор.

но делали бы уровень жизни огромной части человечества противоестественно низким.

Кроме того, я разделяю вашу убежденность, что совершенно необходимо принять меры, дабы молодежь имела возможность участвовать в производственном процессе — более того, чтобы ей это было необходимо. Далее, людей пожилых нельзя допускать до определенной разновидности работ (которые я называю «неквалифицированными»), однако они должны все равно получать некоторый доход, поскольку за свою жизнь успели достаточно потрудиться в сфере, которую общество считает продуктивной.

Я, как и вы, стою за то, чтобы избавиться от крупных городов, однако возражаю против того, чтобы сосредотачивать в тех или иных поселениях людей того или иного демографического слоя — например, престарелых. Признаться, от этой идеи меня бросает в дрожь. Кроме того, я придерживаюсь того мнения, что следует избегать колебаний денежного курса, а для этого придется заменить золотой стандарт стандартом, основанным на определенных классах товаров, отобранных в соответствии с условиями потребления — как давным-давно предлагал, если я не ошибаюсь, Кейнс.[1] Если ввести подобную систему,

---

[1] Кейнс, Джон Мейнард (1883–1946) — выдающийся английский экономист и математик.

придется смириться с некоторой «инфляцией» — по сравнению с нынешней денежной ситуацией, — если поверить, что государство и вправду найдет рациональное применение неожиданному росту номинальных доходов, неизбежно с ней связанному.

Мне думается, что слабые стороны вашего плана относятся к области психологии — точнее, к тому, что вы ею пренебрегаете. Не случайно, что капитализм повлек за собой прогресс не только в производстве, но и в познаниях. Увы, эгоизм и конкуренция сильнее общественного духа и чувства долга. Говорят, в России трудно раздобыть приличный кусок хлеба. Быть может, я слишком пессимистично отношусь к государству и другим общественным институциям, однако не жду от них ничего хорошего. Бюрократия — смерть для любого хорошего начинания. Я видел и ощутил на собственном опыте множество грозных ее признаков — даже в сравнительно образцовой Швейцарии.

Я склоняюсь к той точке зрения, что государство может принести реальную пользу промышленности только как сдерживающая и регулирующая сила.

Эгоизм и конкуренция сильнее общественного духа и чувства долга.

Государство может принести реальную пользу промышленности только как сдерживающая и регулирующая сила. Его задача — следить, чтобы конкуренция среди рабочих оставалась в разумных пределах, чтобы всем детям предоставлялась возможность правильно развиваться и чтобы заработной платы хватало на то, чтобы потреблять производимые товары.

Его задача — следить, чтобы конкуренция среди рабочих оставалась в разумных пределах, чтобы всем детям предоставлялась возможность правильно развиваться и чтобы заработной платы хватало на то, чтобы потреблять производимые товары. Однако оно способно оказывать решающее влияние посредством регулятивной функции, только если — здесь вы снова правы — его действия будут объективно оцениваться независимыми экспертами.

Был бы рад написать вам еще подробнее, однако не могу найти для этого время.

22 сентября 1932 г.

Меньшинства

По всей видимости, то, что большинство относится к живущим рядом с ним меньшинствам — особенно если составляющие их люди выделяются какими-то физическими особенностями — как к существам низшего порядка, — это вселенский закон. Трагедия подобной судьбы заключается не только в несправедливом отношении, которому автоматически подвергаются меньшинства в социальных и экономических вопросах, но и в том, что под влиянием большинства и сами жертвы впадают в такое же заблуждение и начинают считать своих собратьев низшими существами. Вторую, даже более пагубную составляющую этого общественного недуга можно преодолеть, если наладить более тесное сотрудничество и при этом сознательно обеспечить меньшинству особое образование, добиваясь таким образом его духовного освобождения.

Работа американских негров в этом направлении заслуживает всяческой поддержки и одобрения.

То, что большинство относится к живущим рядом с ним меньшинствам — особенно если составляющие их люди выделяются какими-то физическими особенностями — как к существам низшего порядка, — это вселенский закон... Под влиянием большинства и сами жертвы впадают в такое же заблуждение и начинают считать своих собратьев низшими существами.

Замечания по поводу нынешнего положения в Европе

Отличительная черта нынешней политической ситуации в мире, особенно в Европе, как мне представляется, состоит в том, что политическое развитие не сумело ни материально, ни интеллектуально поспеть за экономическими потребностями, которые за сравнительно короткий срок обрели совершенно новую природу. Интересы каждой страны следует подчинить интересам общества в более широком смысле слова. Борьба за новую ориентацию политической мысли и чувства — дело непростое, поскольку против нее выступает многовековая традиция. Однако от ее успеха зависит существование Европы. По моему глубокому убеждению, как только удастся преодолеть психологические барьеры, решить реальные задачи будет уже не настолько трудно.

Чтобы создать нужную атмосферу, главное — наладить личное сотрудничество между единомышленниками. Пусть наши объединенные усилия приведут к наведению мостов взаимного доверия между странами!

Наследники эпох

Минувшие поколения могли взирать на интеллектуальный и культурный прогресс просто как на плоды трудов своих праотцев, переданные им по наследству и делающие жизнь легче и приятнее. Однако коллизии наших времен показывают, что это гибельное заблуждение. Теперь мы понимаем, что нужно очень постараться, чтобы наследие человечества оказалось и вправду благословением, а не проклятием. Да, раньше человеку было достаточно в какой-то степени освободиться от себялюбия, и он становился достойным членом общества, но сегодня ему придется отказаться также и от национального, и от классового чувства. Только достигнув подобных высот, он сможет внести свой вклад в улучшение участи всего человечества.

Это насущное требование времени легче исполнить обитателям маленькой страны, нежели гражданам великой державы, поскольку последние и в политике, и в экономике подвергаются искушению добиваться своего при помощи грубой силы. Соглашение

Нужно очень постараться, чтобы наследие человечества оказалось и вправду благословением, а не проклятием.

между Голландией и Бельгией — единственный луч света в европейских делах за последние несколько лет — позволяет надеяться, что малые страны сыграют главную роль в попытке освободить мир от унизительного ярма милитаризма благодаря тому, что отдельные страны поступятся неограниченным правом на самоопределение.

Ок. 1925 г.

ГЛАВА 2

Часть III

ГЕРМАНИЯ, 1933 ГОД

Манифест. Март 1933 года

Раз у меня есть выбор, я буду жить только в стране, где правят политические свободы, толерантность и равенство всех граждан перед законом. Политическая свобода предполагает свободу выражения политических взглядов и устно, и письменно, толерантность, уважение к личному мнению всех и каждого.

В настоящее время в Германии эти условия не соблюдаются. Тех, кто больше всего потрудился на благо взаимопонимания между народами — в том числе нескольких ведущих деятелей искусств — здесь преследуют.

Любой общественный организм, как и любой человек, подвержен психическим расстройствам, особенно в трудные времена. Как правило, народы благополучно переживают подобные расстройства. Я надеюсь, что Германия вскоре поправится и в будущем ее великие граждане вроде Канта и Гете будут не просто упоминаться время от времени по юбилейным датам — принципы, которые они проповедовали, возьмут верх и в общественной жизни, и в массовом сознании.

Раз у меня есть выбор, я буду жить только в стране, где правят политические свободы, толерантность и равенство всех граждан перед законом. Политическая свобода предполагает свободу выражения политических взглядов и устно, и письменно, толерантность, уважение к личному мнению всех и каждого.

Переписка
с Прусской академией наук

Переписка впервые публикуется полностью, без сокращений и исправлений. В немецких газетах она приводилась неточно, важные отрывки были опущены.

Декларация Академии против Эйнштейна.
1 апреля 1933 года

Прусской академии наук из газет стал известен возмутительный факт. Альберт Эйнштейн участвовал в разжигании вражды к Германии во Франции и Америке. Это потребовало немедленных объяснений. Между тем Эйнштейн объявил о своем выходе из Академии, причиной которого, по его словам, стало то, что он не может более служить прусскому государству при нынешнем правительстве. Поскольку Эйнштейн является гражданином Швейцарии, он, по всей видимости, намерен отказаться от прусского гражданства, полученного в 1913 году исключительно благодаря тому, что он стал действительным членом Академии.

Прусская академия наук особенно огорчена агитаторской деятельностью Эйнштейна за рубежом, поскольку и сама она, и все ее члены всегда ощущали свою тесную связь с прусским государством и всегда подчеркивали свою верность национальной идее, строго воздерживаясь, однако, от участия в политической борьбе. Поэтому сожалеть об уходе Эйнштейна не приходится.

Профессору доктору Эрнсту Хейманну, секретарю Академии.

Лекок-сюр-Мер,[1] близ Остенде, 5 апреля 1933

Обращение к Прусской академии наук

Как мне стало известно из абсолютно надежного источника, Академия наук в официальной декларации сообщила, что «Альберт Эйнштейн участвовал в разжигании вражды к Германии во Франции и Америке».

Настоящим заверяю, что никогда не принимал никакого участия в разжигании вражды к Германии, и должен добавить, что нигде не видел, чтобы кто-то что-то разжигал. В целом все вполне довольствуются пересказом и комментированием официальных заявлений и распоряжений ответственных членов правительства Германии вкупе с программой уничтожения немецких евреев экономическими методами.

Заявления, которые я сделал в прессе, относились к моему намерению отказаться от членства в Академии наук и от прусского

---

[1] Международное название — Де Хаан.

гражданства; подобный шаг я обосновал нежеланием жить в стране, где человек лишен равенства перед законом и свободы говорить и исповедовать все, что хочет.

Далее, я сравнил нынешнее положение дел в Германии с психическим расстройством в массах, а также сделал несколько замечаний относительно его причин.

Кроме того, я предоставил Международной лиге по борьбе с антисемитизмом письменный документ и разрешил использовать его для агитации сторонников, однако для прессы он предназначен не был; кроме всего прочего, я призвал всех здравомыслящих людей, которые, несмотря на опасности, сохранили верность идеалам цивилизации, сделать все возможное, чтобы остановить массовый психоз, который проявляется в сегодняшней Германии столь страшными симптомами.

Академии было бы нетрудно уяснить для себя, что я говорил на самом деле, прежде чем публиковать обо мне подобные суждения. Германская пресса воспроизвела мои слова в намеренно искаженном виде — впрочем, иного и нельзя было ожидать от нынешней задушенной прессы.

Я готов отстаивать каждое слово, которое я опубликовал. В ответ я рассчитываю на то, что Академия доведет это мое заявление до остальных членов, а также до германской общественности, перед которой меня оклеветали, — тем более что и сама Академия приложила руку к тому, чтобы публично меня оклеветать.

Ответ Академии наук.

11 апреля 1933 года

Академия желает подчеркнуть, что ее заявление от 1 апреля 1933 года было основано не только на германских, но в первую очередь на зарубежных, в особенности — французских и бельгийских газетных статьях, содержания которых господин Эйнштейн не оспаривал; кроме того, она ознакомилась с документом, предоставленным Лиге по борьбе с антисемитизмом, о котором господин Эйнштейн столько распространялся и в котором сокрушается, что Германия впала в варварское состояние давно минувших эпох. Более того, у Академии есть причины полагать, что господин Эйнштейн, который, по его же словам, не принимал никакого участия в разжигании вражды к Германии, по меньшей мере не пытался опровергнуть клеветнические заявления и несправедливые подозрения, а между тем, по мнению Академии, таков долг каждого из ее старших членов. Вместо этого господин Эйнштейн лишь делал заявления, а поскольку эти заявления исходили от человека всемирной известности и со сложившейся репутацией, то за рубежом их подхватили и использовали во зло враги не только нынешнего правительства Германии, но и всего немецкого народа.

От имени Прусской академии наук —
постоянные секретари Академии
Г. Фикер,[1]
Э. Хейманн
(подписи)

---

[1] Фон Фикер, Генрих (1881–1957) — немецкий и австрийский метеоролог.

Берлин, 7 апреля 1933 года.
Прусская академия наук —
профессору Эренфесту,[1] Лейден,
для передачи профессору
Альберту Эйнштейну

Уважаемый господин Эйнштейн!

Как действующий первый секретарь Прусской академии наук подтверждаю получение вашего письма, датированного 28 марта 1933 года, где вы объявляете об отказе от членства в Академии. Академия рассмотрела ваше прошение об отставке на пленарном заседании 30 марта 1933 года.

Академия глубоко сожалеет о таком повороте событий, однако это сожаление вызвано мыслью о том, что человек, обладающий высочайшим научным авторитетом, человек, который благодаря многолетнему сотрудничеству с немцами и многолетнему членству в нашем сообществе должен быть хорошо знаком с немецким характером и немецким образом мысли, выбрал именно этот момент, чтобы связать себя с зарубежными группировками, которые причинили нашему немецкому народу большой урон, так как распространяли

---

[1] Эренфест, Пауль (1880–1933) — австрийский и нидерландский физик-теоретик.

безосновательные слухи и ошибочные мнения — отчасти, несомненно, это объясняется незнанием подлинного положения дел и хода событий. Мы были уверены, что человек, который так долго состоял в нашей Академии, независимо от своих политических симпатий сочтет своим долгом принять сторону тех, кто обороняет наш народ от изливаемого на него потока лжи. В те дни, когда на нас так клевещут — и по злому умыслу, и по недоразумению, — именно в ваших устах добрые слова в защиту немецкого народа возымели бы огромное воздействие, особенно за рубежом. Вместо этого ваше заявление сыграло на руку врагам не только нынешнего правительства, но и всего немецкого народа. Для нас это горькое разочарование, которое, несомненно, привело бы к решению расстаться с вами, даже если бы мы не получили вашего прошения об отставке.

Искренне ваш,
фон Фикер
(подпись)

Лекок-сюр-Мер, Бельгия.
12 апреля 1933 года.
В Прусскую академию наук,
Берлин

Я получил ваше письмо от седьмого числа текущего месяца и глубоко огорчен отраженным в нем отношением.

Что касается фактической стороны дела, могу ответить лишь одно. То, что вы говорите о моем поведении, в сущности, лишь сформулированное иными словами заявление, которое вы уже опубликовали и где вы обвиняете меня в разжигании вражды к немецкому народу. В своем последнем письме я уже назвал эти обвинения клеветническими.

Кроме того, вы отметили, что мои «добрые слова» в защиту «немецкого народа» оказали бы благотворное воздействие за рубежом. На это я должен ответить, что предложенное вами заявление было бы равносильно отказу от всех представлений о свободе и справедливости, которые я отстаивал всю жизнь. Подобное заявление не было бы, как вы выразились, добрыми словами в защиту немецкого народа, — напротив, оно лишь помогло бы тем, кто стремится подорвать идеи и принципы, стяжавшие немецкому народу почетное место в цивилизованном мире. Если бы я в нынешних обстоятельствах выступил с подобным заявлением, то внес бы свой вклад, пусть и косвенно, в моральное одичание и крушение всех существующих культурных ценностей.

Именно по этой причине я твердо решил уйти из Академии, и ваше письмо лишь показывает, как правильно я поступил.

Мюнхен, 8 апреля 1933 года.
Баварская академия наук –
профессору Альберту Эйнштейну

Господин Эйнштейн!

В своем письме в Прусскую академию наук вы назвали причиной своей отставки нынешнее положение дел в Германии. Баварская академия наук, которая несколько лет назад избрала вас членом-корреспондентом, также принадлежит к числу Академий наук Германии и тесно сотрудничает с Прусской и остальными Академиями наук; следовательно, ваш уход из Прусской академии наук неизбежно повлияет на отношения с нашей Академией. Поэтому мы вынуждены спросить вас, как вы представляете себе дальнейшие отношения с нашей Академией в свете произошедшего между вами и Прусской академией.

Президенту
Баварской академии наук.
Лекок-сюр-Мер, 21 апреля 1933 года.
В Баварскую академию наук,
Мюнхен

Причиной моего ухода из Прусской академии наук я назвал то, что с нынешних обстоятельствах я не желаю ни быть гражданином Германии, ни сохранять положение псевдонезависимости от министерства образования Пруссии. Сами по себе эти причины не привели бы к разрыву отношений с Баварской академией. И если я все равно хочу вычеркнуть свою фамилию из списка ее членов, то по другой причине.

Первейший долг любой академии наук — способствовать научной жизни в стране и защищать ее. Однако ученые сообщества Германии, насколько мне известно, стояли в стороне и безмолвно наблюдали, как отнюдь не малую долю талантливейших немецких ученых и студентов, а также профессионалов с университетским образованием, лишили всех шансов найти работу и зарабатывать себе на жизнь в Германии. Я, пожалуй, не хочу принадлежать ни к какому обществу, которое ведет себя подобным образом, даже если оно так поступает под давлением извне.

Ответ
на предложение присоединиться к французскому манифесту против антисемитизма в Германии

Я тщательно, со всех точек зрения рассмотрел это важнейшее предложение, которое затрагивает сразу несколько близких мне идей. В итоге я пришел к заключению, что не могу принимать личное участие в этом крайне важном начинании по двум причинам.

Во-первых, я все же гражданин Германии, а во-вторых, я еврей. Что касается первого пункта, должен добавить, что работал в немецких учреждениях и в Германии ко мне всегда относились с полным доверием. Как бы глубоко я ни сожалел о том, что там сейчас происходит, как бы сильно не стремился осудить ужасные ошибки, совершаемые с одобрения правительства, — но для меня никак невозможно принимать личное участие в деле, которое организовало правительство другой страны. Чтобы вполне меня понять, представьте себе, что в более или менее аналогичном положении оказался французский гражданин и он поддержал протест против действий французского правительства на стороне выдающихся государственных деятелей Германии. Даже если вы полностью согласитесь, что этот протест всемерно оправдан фактами, вы все равно сочтете поведение своего согражданина предательством. Если Золя[1] во времена дела Дрейфуса счел необходимым покинуть Францию, он все равно наверняка не связывал себя с каким бы то ни было протестом со стороны официальных лиц Германии, как бы горячо ни одобрял их действия. Он бы ограничился тем, что... краснел бы за своих сограждан. Во-вторых, протест против насилия и несправедливости несопоставимо весомее, если исходит от людей, побуждаемых исключительно гуманностью и любовью к справедливости. Этого нельзя сказать о человеке вроде меня — человеке, который считает других евреев своими братьями. Для него обиды, причиненные евреям, это обиды, причиненные ему самому. Ему нельзя быть судьей по собственному делу — он должен ждать вердикта беспристрастных сторонних наблюдателей.

---

[1] Золя, Эмиль (1840–1902) — французский писатель, публицист и общественный деятель. В 1898 году в связи с делом Дрейфуса опубликовал статью «Я обвиняю», где уличал французское правительство в антисемитизме, после чего был вынужден уехать в Англию. Дело Дрейфуса — процесс по делу о шпионаже в пользу Германской империи, в котором обвинялся офицер французского генерального штаба капитан Альфред Дрейфус, еврей из Эльзаса. Процесс сыграл огромную роль в истории Франции и Европы конца XIX века.

Таковы мои резоны. Однако я хотел бы добавить, что всегда уважал обостренное чувство справедливости — одну из благороднейших черт французской традиции.

ГЛАВА 3

Часть I

ВЫСТУПЛЕНИЯ ПО ПОВОДУ ВОЗРОЖДЕНИЯ ПАЛЕСТИНЫ

Десять лет назад, когда я впервые имел удовольствие обратиться к вам от имени дела сионизма, почти все наши надежды еще относились к будущему. Сегодня мы можем вспоминать эти десять лет с радостью — ведь за это время объединенные силы еврейского народа потрудились в Палестине на славу и создали столько, что это, конечно, превосходит наши самые смелые тогдашние надежды.

Кроме того, мы успешно выдержали суровое испытание, которому нас подвергли события последних лет. Неустанный труд, вдохновленный благородной целью, всегда ведет к успеху — медленно, но верно. Последние заявления британского правительства отражают возврат к более справедливым суждениям по нашему делу, и это мы с благодарностью признаем.

Однако нам нельзя забывать, чему нас научил этот кризис: установление приемлемых отношений между евреями и арабами — это наше дело, а не британское. Мы — то есть мы и арабы — должны достичь согласия по общим направлениям взаимовыгодного партнерства, которое призвано удовлетворить потребности обоих народов. Справедливое решение этого вопроса, достойное обоих народов, — вот цель не менее важная и не менее достойная наших усилий, чем продолжение самого строительства. Помните: политическая система в Швейцарии развита лучше, чем в любой другой стране, именно потому, что для того чтобы создать стабильное общество из разрозненных национальных групп, нужно сначала решить крупные политические задачи.

Нам еще многое предстоит сделать, однако по крайней мере одна цель Герцля[1] уже достигнута: задача строительства в Палестине придала еврейскому народу поразительную солидарность и уверенность в будущем, без которых невозможна здоровая жизнь никакого организма. Все, что мы можем сделать для общей цели, делается не только ради наших братьев в Палестине, но и ради чести и благополучия всего еврейского народа.

[1] Герцль, Теодор (1860–1904) — еврейский общественный и политический деятель, основатель Всемирной сионистской организации, один из идеологов создания еврейского государства.

ГЛАВА 3

Часть II

Мы собрались сегодня для того, чтобы вспомнить о нашей многовековой общине, ее судьбе и ее трудностях. Эта община объединена моральной традицией, которая всегда проявляла свою силу и жизнестойкость в трудные времена. Она всегда порождала людей, воплощавших совесть западного мира, поборников справедливости и человеческого достоинства.

Пока все мы будем заботиться об этой общине, она будет существовать на благо человечества — несмотря на то, что внутренней самоорганизации у нее нет. Лет десять-двадцать назад группа дальновидных людей, среди которых выделяется бессмертная фигура Герцля, пришла к заключению, что нам нужен духовный центр, чтобы в трудные времена сохранить чувство солидарности. Так возникла идея сионизма и началась работа над поселениями в Палестине, свидетелями успешного воплощения которой нам довелось стать — по крайней мере, свидетелями ее крайне многообещающего начала.

Мне выпала честь — к моей великой радости и удовлетворению — видеть, как много сделали эти достижения для возрождения еврейского народа, который, будучи меньшинством среди других наций, подвержен не только внешним, но и внутренним опасностям — психологической природы.

Кризис, с которым столкнулась работа по строительству в Палестине в последние несколько лет, лег на нас тяжким бременем и до сих пор еще не преодолен. Однако по последним сообщениям становится очевидно, что весь мир, особенно британское правительство, расположен признать великие идеи, стоящие за нашей борьбой за дело сионизма. Давайте же вспомним с благодарностью нашего вождя Вейцмана,[1] чей пыл и широта мировоззрения способствовали успеху его благих начинаний.

Трудности, которые мы преодолели, принесли нам и некоторую пользу. Они показали нам, как прочны узы, связывающие евреев всех стран общей судьбой. Кроме того, кризис прояснил наше отношение к палестинскому вопросу, очистил его от шлаков национализма. Мы недвусмысленно заявили, что не собираемся создавать политическое общество — наша цель, в соответствии с древней еврейской традицией, исключительно культурная в самом широком смысле слова. Следовательно, именно от нас зависит ответ на

---

[1] Вейцман, Хаим (1874–1952) — ученый-химик, политик, дважды президент Всемирной сионистской организации, первый президент государства Израиль.

вопрос — как жить бок о бок с нашими братьями-арабами, жить открыто, щедро и достойно? У нас есть возможность показать, чему мы научились за тысячелетия мученичества. Если мы выберем верный путь, то добьемся успеха и подадим хороший пример всему остальному миру.

Все, что мы делаем ради Палестины, мы делаем ради чести и благополучия всего еврейского народа.

ГЛАВА 3

Часть III

Я рад возможности сказать несколько слов молодежи той страны, которая верна общим целям еврейского народа. Пусть вас не обескураживают трудности, с которыми мы сталкиваемся в Палестине. Подобные трудности — лишь испытание нашей решимости жить в своей общине.

Определенные заявления и действия британской администрации[1] нужно, конечно, подвергнуть справедливой критике. Однако ограничиваться этим нельзя — надо учиться на своих ошибках. Нужно очень внимательно подходить к отношениям с арабами. Если мы будем тщательно культивировать взаимодействие, то в будущем сумеем предотвратить опасную напряженность, которой могут воспользоваться и спровоцировать акты насилия. Достичь этой цели вполне в наших силах, поскольку работа по строительству ведется и должна и в будущем вестись таким образом, чтобы, по сути дела, отвечать интересам и арабского населения тоже.

Тогда мы больше не будем то и дело попадать в положение, когда приходится прибегать к помощи государства-мандатария в качестве арбитра: такое положение неприемлемо

---

[1] Речь идет о Британском мандате в Палестине — период с 1922 по 1948 год, когда на части территории бывшей Османской империи был установлен режим управления Великобритании по мандату Лиги Наций.

как для евреев, так и для арабов. Тем самым мы будем следовать не только велению Провидения, но и требованиям традиций, благодаря которым еврейская община и обретает смысл и стабильность. Ведь эта община — не политическая и никогда такой не станет; так что традиция — единственный источник, откуда она постоянно может черпать новые силы, и единственное оправдание ее существованию.

ГЛАВА 3

Часть IV

В последние две тысячи лет общее достояние еврейского народа состояло исключительно из его прошлого. У наших соплеменников, рассеянных по всему бескрайнему миру, не было ничего общего, кроме тщательно оберегаемой традиции. Несомненно, отдельные евреи трудились не покладая рук, однако у еврейского народа в целом, по всей видимости, недоставало сил для крупных коллективных достижений.

Теперь все стало иначе. История поставила перед нами великую благородную задачу — от нас требуется активное сотрудничество ради строительства Палестины. Выдающиеся представители нашего народа уже бросили все силы на достижение этой цели. У нас есть возможность создать центры цивилизации, которые весь еврейский народ будет считать делом своих рук. Мы лелеем надежду воздвигнуть в Палестине дом для собственной национальной культуры — а это поможет пробудить весь Ближний Восток к новой экономической и духовной жизни.

Цель, которую ставят перед собой вожди сионизма, — не политическая, а социальная и культурная. Община в Палестине должна приближаться к общественному идеалу наших праотцев, каким он предстает в Библии, и в то же время стать средоточием современной интеллектуальной жизни, духовным центром для евреев всего мира. Поэтому одна из самых важных целей сионистской организации — основать Иерусалимский университет.

Последние несколько месяцев я пробыл в Америке с целью помочь заложить материальную основу под создание университета. Успех этого предприятия пришел сам собой. Благодаря неутомимой энергии и восхитительной самоотверженности еврейских врачей в Америке нам удалось собрать достаточно денег на создание медицинского факультета и подготовить все необходимое, чтобы немедленно начать работать. После такого успеха я не сомневаюсь, что вскоре появится материальная основа и для других факультетов. Медицинский факультет прежде всего будет развиваться как исследовательский институт и сосредоточит усилия на здоровье страны — это самое важное направление его развития. Полномасштабное обучение студентов выйдет на первый план лишь впоследствии. Поскольку многие весьма компетентные научные работники уже подтвердили готовность занять должности в университете, по всей видимости, сомневаться в создании медицинского факультета не приходится. Добавлю, что открыт особый фонд университета, полностью независимый от общего фонда развития страны. На нужды последнего за время моего пребывания в Америке также собраны значительные суммы благодаря неустанным трудам профессора Вейцмана и других вождей сионизма — в основном за счет самоотверженности среднего класса.

В заключение обращусь к немецким евреям с горячим призывом пожертвовать все возможное на создание еврейского дома в Палестине — невзирая на экономические трудности. Это не вопрос благотворительности, а начинание, касающееся всех евреев, успех которого обещает принести всем нам величайшее удовлетворение.

1921 г.

ГЛАВА 3

Часть V

Для нас, евреев, Палестина не просто благотворительное начинание или колония, а проблема исключительной важности для всего еврейского народа. Палестина в первую очередь — не убежище для евреев Восточной Европы, а средоточие вновь пробудившегося духа единства всех евреев в мире. Удачное ли сейчас время для пробуждения и укрепления этого духа? Вот вопрос, на который я, несомненно, отвечу безоговорочным «да» — и не из сиюминутного порыва, но на рациональных основаниях.

Рассмотрим историю евреев в Германии за последние сто лет. Столетие назад наши праотцы — за немногочисленными исключениями — жили в гетто. Они были бедны, лишены политических прав, отделены от неевреев барьером религиозных традиций, бытовых обычаев и законодательных ограничений; интеллектуальное их развитие сводилось к их собственной литературе, и мощный прогресс европейского интеллекта, берущий начало в эпохе Возрождения, их почти не затронул. И все же эти темные, униженные люди имели перед нами одно великое преимущество: каждый из них до глубины души ощущал принадлежность к общине, в которую он был полностью погружен, и понимал, что он ее полноправный член и она не потребует от него ничего, что противоречило бы его естественному образу мыслей. В те дни наши праотцы были довольно-таки скверными экземплярами своего вида и физически, и интеллектуально — зато с социальной точки зрения обладали завидным душевным равновесием.

Затем началась ассимиляция, которая внезапно открыла перед отдельной личностью перспективы, о каких раньше и мечтать было нельзя. Некоторые из нас — их было мало — быстро завоевали высокое положение в высших эшелонах деловой и общественной жизни. Они алчно заглатывали великолепные, триумфальные достижения искусства и науки западного мира. Они включились в этот процесс с бурным энтузиазмом и сами внесли в него ценнейший вклад на многие годы вперед. И одновременно они подражали внешней стороне нееврейской жизни — все больше отходили от своих религиозных и общественных традиций и перенимали нееврейские обычаи, манеры и образ мыслей. Как будто они полностью отказывались от своего самоощущения в превосходящей их числом и более высокоорганизованной культуре народов, среди которых они жили — через несколько поколений от них не осталось бы и следа. Казалось, еврейский народ в Центральной и Западной Европе обречен на полное исчезновение.

Но все повернулось иначе. Национальности, принадлежащие к другой расе, видимо, обладают инстинктом, который не позволяет им растворяться среди других народов. Как бы старательно евреи ни приспосабливали к европейским народам, среди которых жили, свой язык, манеры, даже — в значительной степени — формы религии, ощущение отчужденности между евреями и местным населением никогда не пропадало. Это спонтанное ощущение и есть главная причина антисемитизма — вот почему его нельзя искоренить самой благонамеренной пропагандой. Национальности стремятся следовать своим курсом, а не смешиваться. Приемлемое положение дел возможно только при толерантности и уважении с обеих сторон.

В качестве первого шага в этом направлении мы, евреи, должны снова осознать свое существование как национальности и обрести самоуважение, без которого невозможно здоровое существование. Мы должны снова изучить славу своих предков и свою историю и снова — как народ — взять на себя культурные задачи, призванные укрепить ощущение общности. Нам недостаточно играть свои отдельные роли в культурном развитии человечества — мы должны также решать задачи, которые способны решить только народы в целом. Только тогда евреи вернут себе социальное здоровье.

Я бы хотел, чтобы вы смотрели на сионистское движение с этой точки зрения. Сегодня история поручила нам задачу принять активное участие в экономическом и культурном восстановлении нашей родной земли. Энтузиасты — люди блестяще одаренные — проложили нам путь, и многие прекрасные представители нашей расы готовы посвятить себя этому делу всей душой. Пусть каждый из них в полной мере понимает, как важен этот труд, и внесет свой вклад в его успех по своим способностям!

Еврейская община

Дамы и господа!

М
не не так уж просто преодолеть природную склонность к тихой, созерцательной жизни. Однако я не могу оставаться глухим к призывам еврейских благотворительных организаций ОРТ и ОЗЕ,[1] ведь, отвечая на него, я, в сущности, отвечаю на призыв нашего жестоко притесняемого еврейского народа.

Положение нашей рассеянной по всему миру еврейской общины — моральный барометр политического мира. Ибо разве можно найти более точный показатель морали в политике и уважения к правосудию, чем отношение народов к беззащитному меньшинству, единственная причуда которого — стремление сохранить древнюю культурную традицию?

В настоящее время барометр показывает бурю — все мы убедились в этом на собственном печальном опыте, ведь мы видим, как к нам относятся. Однако его показания укрепляют меня в убеждении, что наш долг — сохранить и сплотить свою общину. В традиции

---

[1] Речь идет о благотворительных организациях «Общество по распространению ремесленного и земледельческого труда среди евреев» и «Общество по охране здоровья еврейского населения».

еврейского народа — любовь к справедливости и здравому смыслу, и эта любовь должна и дальше служить на благо всем народам, и сейчас, и в грядущем. В ходе истории эта традиция породила и Спинозу, и Карла Маркса.

Кто хочет сохранить дух, должен позаботиться и о теле, в котором он обитает. Общество ОЗЕ буквально заботится о телах нашего народа. Оно не покладая рук трудится в Восточной Европе и помогает нашим соплеменникам, на которых особенно сильно сказался экономический спад — и тем самым не дает духу покинуть тело; со своей стороны, общество ОРТ стремится смести социальные и экономические препоны, стоящие на пути евреев со времен Средневековья. Поскольку тогда нас лишили права избирать себе любые занятия, приносящие прямую выгоду, мы были вынуждены ограничиваться исключительно коммерцией. Единственный способ по-настоящему помочь еврею в восточных странах — дать ему доступ к новым областям деятельности, за которые он борется по всему миру. Это трудная задача, которую общество ОРТ решает вполне успешно.

Разве можно найти более точный показатель морали в политике и уважения к правосудию, чем отношение народов к беззащитному меньшинству, единственная причуда которого — стремление сохранить древнюю культурную традицию?

Именно к вам, наши английские собратья-евреи, мы обращаемся теперь с призывом помочь нам в этом великом деле, которое начали замечательные люди. Последние несколько лет — нет, последние несколько дней — принесли нам огорчения, которые наверняка затронули вас в особенности. Не сетуйте на судьбу — лучше считайте эти события причиной сохранять верность делу еврейского сообщества. Я убежден, что тем самым мы косвенно поспособствуем достижению общечеловеческих целей, которые всегда должны ставить превыше всего.

Помните, что для любого сообщества трудности и препятствия — ценный источник сил и здоровья. Мы бы не сохранились как народ многие тысячи лет, если бы путь наш был усеян розами, — в этом я совершенно уверен.

Однако у нас есть и более приятное утешение. Пусть наши друзья и не очень многочисленны, зато среди них есть люди благородные духом и обладающие обостренным чувством справедливости, посвятившие свою жизнь возвышению человеческого общества и освобождению личности от унизительных притеснений.

Мы рады и счастливы, что подобные люди из нееврейского мира сегодня среди нас; их присутствие придает торжественности этому достопамятному вечеру. Мне несказанно приятно видеть перед собой Бернарда Шоу и Герберта Уэллса, чье мировоззрение мне особенно импонирует. Вы, мистер Шоу, успешно завоевали симпатию и восхищение всего мира, который вы так радуете, и при этом следуете путем, который привел многих других к мученическому венцу. Вы не просто проповедовали собратьям моральные принципы — вы еще и высмеивали то, что многим из них представляется священным. И высмеивали с мастерством подлинного художника. Вы извлекали из своей волшебной шкатулки бесчисленные фигурки, которые, хотя и напоминают людей, созданы не из плоти из крови, а из мозгов, остроумия и шарма. И при этом они больше похожи на людей, чем мы сами — и едва не забываешь, что их создала не Природа, а Бернард Шоу. Вы заставляете эти очаровательные фигурки плясать в миниатюрном мире, у входа в который стоят на страже Грации и не допускают туда никакие горести. Тот, кто смотрел на этот миниатюрный мир, видит наш, настоящий мир в ином свете — куколки-марионетки словно вселяются в реальных людей, и они вдруг начинают выглядеть совсем иначе. Вы показали нам зеркало — и тем самым подарили нам свободу, какую не смог подарить никто из наших современников, и отчасти избавили жизнь от приземленной тяжести. За это все мы искренне благодарны вам — а еще судьбе, которая вместе с изнурительными недугами послала нам и лекаря — освободителя наших душ. Лично я особенно благодарен вам за незабываемые слова, с которыми вы обратились к моему таинственному тезке, который так сильно осложняет мне жизнь — хотя, несмотря на неуклюжие, чудовищные габариты, он, в сущности, существо безобидное.

Всем вам я скажу, что существование и участь нашего народа зависит не столько от внешних факторов, сколько от того, насколько мы сами сохраним верность моральным традициям, которые позволили нам пережить тысячелетия, несмотря на страшные бури, бушевавшие над нашими головами. Жертва во имя жизни — это благодатная жертва.

Лондон,
29 октября 1930 г.

«Лига Рабочей Палестины»

«**Л**ига Рабочей Палестины» относится к тем сионистским организациям, деятельность которых приносит непосредственную пользу самому ценному классу жителей тех мест — тем, кто трудами рук своих превращает пустыни в цветущие поселения. Эти работники — добровольные избранники всего еврейского народа, элита, состоящая из сильных, уверенных в себе и самоотверженных людей. Это не невежественные ремесленники, продающие плоды своего труда тому, кто больше заплатит, — нет, это образованные, свободные, интеллектуально богатые люди, чья мирная борьба с заброшенной почвой приносит пользу всему еврейскому народу, прямо или косвенно. Если мы по мере сил облегчим их тяжкую долю, то спасем человеческие жизни самой ценной разновидности — ведь борьба первых поселенцев на земле, которая еще не пригодна для обитания, требует больших личных жертв. Судить, насколько это верно, может лишь тот, кто видел все своими глазами. Каждый, кто помогает улучшить быт и снаряжение этих людей, помогает им хорошо трудиться над очень важной задачей.

Более того, только рабочий класс наделен силой установить здоровые отношения с арабами, а это — важнейшая политическая задача сионистского движения. Правительства приходят и уходят, а в жизни страны все решают в конечном итоге человеческие отношения. Поэтому поддержать «Лигу Рабочей Палестины» значит в то же время способствовать достойной и гуманной политике в Палестине и оказать существенное сопротивление подводным течениям узколобого национализма, от которого страдает весь политический мир — и, пусть и в меньшей степени, небольшой политический мир Палестины.

Возрождение еврейства

С радостью исполняю просьбу вашей газеты обратиться к евреям Венгрии с призывом от имени организации «Керен Ха-Есод».[1]

Главные враги национального сознания и репутации евреев — это жировая дегенерация (так я называю утрату самосознания и совести, вызванную богатством и уютом) и своего рода внутренняя зависимость от окружающих нас неевреев, ослабляющая узы еврейского сообщества. Все лучшее в человеке расцветает лишь тогда, когда он целиком отдает себя обществу. Отсюда и проистекают моральные опасности, грозящие еврею, когда он утрачивает связь с собственным народом, а нация, которая приняла его, считает его чужаком. В подобных обстоятельствах зачастую проявляется безрадостный, презренный эгоизм. Бремя внешних притеснений, которое несет еврейский народ, в наши дни особенно тяжко. Однако эта горечь нам толь-

Все лучшее в человеке расцветает лишь тогда, когда он целиком отдает себя обществу.

---

[1] «Керен Ха-Есод» («Объединенный Израильский Призыв») — благотворительная организация, цель которой — сбор средств для помощи Государству Израиль и евреям диаспоры.

Палестина станет культурным центром для всех евреев, убежищем для тех, кого особенно жестоко притесняют, полем деятельности для лучших из нас, идеалом, объединяющим наш народ, и средством обрести внутреннее здоровье для евреев всего мира.

ко во благо. Началось возрождение еврейской национальной жизни, о каком предыдущее поколение не могло и мечтать. Благодаря вновь пробудившемуся чувству солидарности среди евреев горстка убежденных, здравомыслящих лидеров разработала план колонизации Палестины, и этот план пока что успешно действует, несмотря на непреодолимые на первый взгляд трудности, и я не сомневаюсь, что удача будет содействовать им и дальше. Ценность этих достижений для евреев во всем мире очень велика. Палестина станет культурным центром для всех евреев, убежищем для тех, кого особенно жестоко притесняют, полем деятельности для лучших из нас, идеалом, объединяющим наш народ, и средством обрести внутреннее здоровье для евреев всего мира.

Антисемитизм и учащаяся молодежь

Пока мы жили в гетто, принадлежность к еврейскому народу приводила к материальным затруднениям, а иногда бывала чревата и физическими опасностями, однако не сулила ни социальных, ни психологических сложностей. Теперь, с приходом ассимиляции, положение изменилось — особенно для тех евреев, которые избрали интеллектуальные профессии. Юный еврей в школе и университете подвержен влиянию общества с определенными национальными настроениями, и это общество вызывает у него уважение и восхищение, он черпает в нем интеллектуальную поддержку, ощущает свою сопричастность к нему, — а общество со своей стороны относится к нему словно к представителю чуждой расы, с явным презрением и враждебностью. Именно исподволь прививаемое обществом ощущение психологического превосходства — а не практические соображения — заставляет юношу отвернуться от своего народа и своих традиций и решить, что он полностью принадлежит к другому кругу, — однако напрасно он пытается убедить себя и других, будто эти отношения взаимны. Так и возникают эти жалкие создания — крещеные евреи прошлого и настоящего, не принадлежащие ни к еврейской общине, ни к обществу неевреев, наподобие членов гехаймратов.[1] В большинстве случаев евреи становятся такими не из честолюбивых устремлений, не по слабости характера, а, как я уже говорил, из-за влияния окружения, которое превосходит их числом и влиятельностью. Естественно, они понимают, что европейская цивилизация обязана своей славой, в частности, многим выдающимся сынам еврейского народа — но разве все они, за редкими исключениями, не поступили так же и не покинули общину?

В данном случае, как и при других душевных расстройствах, ключ к исцелению — ясное осознание своего состояния и его причин. Мы должны понимать, что действительно принадлежим к чуждой расе, и сделать из этого логические выводы. Бессмысленно убеждать окружающих, что мы-де претендуем на интеллектуальное и духовное равенство, приводя доводы, адресованные здравому смыслу, — ведь отношение окружающих коренится отнюдь не в их умах. Скорее нам следует добиваться социальной независимос-

---

[1] Гехаймраты («тайные советы») в некоторых областях Западной Европы до начала XX века — посредники между еврейской общиной и светскими властями; зачастую играли двоякую роль и не пользовались доверием ни той, ни другой стороны.

ти и удовлетворять собственные социальные нужды — в основном — своими силами. Надо создавать собственные студенческие общества, надо занять позицию вежливой, но твердой отстраненности от неевреев. И давайте жить на свой манер, а не обезьянничать и не перенимать обычаи пьяниц и дуэлянтов — эти обычаи чужды нашей природе. Вполне возможно быть цивилизованным европейцем и хорошим гражданином и в то же время — настоящим евреем, любящим свой народ и почитающим своих предков. Если мы будем об этом помнить и соответственно держаться, проблему антисемитизма — по крайней мере, в том, что касается ее общественной природы, — можно считать решенной.

И давайте жить на свой манер, а не обезьянничать и не перенимать обычаи пьяниц и дуэлянтов — эти обычаи чужды нашей природе. Вполне возможно быть цивилизованным европейцем и хорошим гражданином и в то же время — настоящим евреем, любящим свой народ и почитающим своих предков.

Письмо профессору доктору Гельпаху, [1] рейхспрезиденту

Уважаемый господин Гельпах!

Я прочитал вашу статью о сионизме и Цюрихском Конгрессе и, будучи преданным сторонником сионистской идеи, считаю своим долгом ответить вам, пусть лишь вкратце.

Евреи — община, связанная узами крови и традиции, а не только религии, и это убедительно доказывает отношение к ним всего остального мира. Когда я пятнадцать лет назад прибыл в Германию, то впервые осознал, что я еврей, и обязан я этим открытием скорее неевреям, чем евреям.

Трагедия евреев — в том, что это народ определенного исторического типа, лишенный поддержки государства, которое помогало бы ему держаться вместе. В результате каждому отдельному человеку недостает прочной основы, а это приводит — в крайних своих проявлениях — к моральной неустойчивости. Я понял, что единственный выход для этой расы — чтобы каждый еврей в мире ощущал свою принадлежность к живому сообществу,

---

[1] Гельпах, Вилли (1877–1955) — немецкий врач, психолог и политический деятель, в 1924 году занимал пост рейхспрезидента Республики Баден.

к которому он рад принадлежать и которое помогает ему выносить неизбежные ненависть и унижения со стороны всего остального мира.

Я видел гнусные карикатуры на достойных евреев, и сердце мое обливалось кровью. Я видел, как школы, газеты и бесчисленные другие орудия нееврейского большинства подрывали уверенность в себе даже у лучших моих собратьев-евреев, и понимал, что так продолжаться не может, это недопустимо.

Затем я понял, что восстановить здоровье нашего народа может только общее дело, дорогое сердцу всех евреев во всем мире. Величайшее достижение Герцля — то, что он понял и заявил во весь голос, что с учетом традиционных умонастроений среди евреев подходящая цель, на которой можно сосредоточить наши усилия, — это создание национальной державы или, точнее, национального центра в Палестине.

Все это вы называете национализмом — и это, вообще говоря, обвинение. Однако всегда можно назвать этим уродливым словом общую цель, без которой мы в этом враждебном мире не можем ни жить, ни уме-

Когда я пятнадцать лет назад прибыл в Германию, то впервые осознал, что я еврей, и обязан я этим открытием скорее неевреям, чем евреям.

реть. Так или иначе, этот национализм стремится лишь к достоинству и здравому смыслу. Если бы нам не приходилось жить среди узколобых, нетерпимых, жестоких людей, я бы первым отбросил всякий национализм ради вселенских идеалов человечности.

А то возражение, к примеру, что мы, евреи, будто бы не можем быть достойными гражданами германского государства, если хотим стать «нацией», основано на неверном представлении о природе государства, порожденном нетерпимостью национального большинства. От этой нетерпимости мы будем страдать в любом случае — неважно, станем мы называть себя «народом» (или «нацией») или не станем. Все это я изложил с грубой прямотой из соображений краткости, однако по вашим сочинениям я вижу, что вы из тех, кто придает значение не форме, а содержанию.

8 октября 1924 г.

Письмо одному арабу

Ваше письмо доставило мне огромное удовольствие. Оно показывает, что с вашей стороны также наличествует желание разрешить возникшие трудности, не посрамив обоих наших народов. Я полагаю, что трудности эти скорее психологического, нежели реального свойства, и что их можно преодолеть, если обе стороны отнесутся к этой задаче искренне и честно.

Сложившееся положение особенно усугубляется из-за того, что евреи и арабы выступали друг против друга еще до введения Британского мандата. А подобное положение дел недостойно обоих народов и может измениться, лишь если мы найдем компромисс, с которым согласятся обе стороны.

Теперь я объясню вам, как, по моему представлению, можно преодолеть нынешние трудности; при всем при том я вынужден добавить, что это всего только мое личное мнение, которое я ни с кем не обсуждал. Это письмо я пишу по-немецки, поскольку сам не могу написать его по-английски и хотел бы полностью нести за него ответственность. Я уверен, что у вас найдется какой-нибудь друг-еврей, который согласится его перевести.

Долг каждого человека доброй воли — упорно, изо всех сил биться в своем маленьком мирке за то, чтобы учение о чистом гуманизме обрело живую силу. Если он будет честно прилагать старания в этом направлении и современники не повалят его наземь и не затопчут, пусть считает, что и ему, и его общине повезло.

Следует создать Тайный совет, в который и евреи, и арабы выдвинут по четыре представителя, не зависимых от каких бы то ни было политических партий.

Состав каждой группы должен быть следующим. Врач, избранный Медицинским обществом; юрист, избранный юристами; представитель рабочих, избранный профсоюзами; священнослужитель, избранный священнослужителями.

Эти восемь человек должны встречаться раз в неделю. Их задача — не отстаивать узкие интересы своей профессии либо народа, а сознательно прилагать все усилия к достижению благополучия всего населения страны. Обсуждения должны быть тайными, разглашать о них какие бы то ни было сведения строго запрещено, даже в личной беседе. Когда по любому вопросу выносится решение, с которым согласны по меньшей мере трое из четверых членов Совета с каждой стороны, его можно опубликовать, однако только от имени Совета в целом. Если кто-то из членов Совета не согласен с этим решением, он волен покинуть Совет, однако не освобождается при этом от обязательства хранить тайну. Если какое-то из вышеперечисленных сообществ, выдвигающих своих делегатов, не удовлетворено решением Совета, оно вправе заменить своего представителя другим.

Даже если этот Тайный Совет и не будет обладать определенной властью, он тем не менее сможет постепенно привести к некоторым изменениям и служить объединенным представителем общих интересов страны, лишенным налета сиюминутной политики, перед лицом государства-мандатария.

Долг каждого человека доброй воли — упорно, изо всех сил биться в своем маленьком мирке за то, чтобы учение о чистом гуманизме обрело живую силу. Если он будет честно прилагать старания в этом направлении и современники не повалят его наземь и не затопчут, пусть считает, что и ему, и его общине повезло.

15 марта 1930 г.

Приложение

Манифест Рассела-Эйнштейна. Лондон, 1955 г. [1]

Сегодня, когда человечество оказалось в трагическом положении, мы считаем, что ученые должны собраться на конференцию, дабы оценить опасность, возникшую в результате разработок оружия массового уничтожения, и вынести резолюцию, проект которой прилагается к настоящему документу.

Мы выступаем не как представители того или иного народа, континента или вероисповедания, а как люди, представители человечества как биологического вида, дальнейшее существование которого представляется сомнительным. Мир раздирают конфликты — однако все второстепенные конфликты меркнут перед лицом титанической битвы между коммунизмом и антикоммунизмом.

Практически каждый политически сознательный человек выработал твердую позицию по тем или иным вопросам, придерживается сильных симпатий и антипатий — однако мы хотим, чтобы вы, по мере сил, отрешились

---

[1] Мы сочли нужным представить читателю этот документ, поскольку он ярко иллюстрирует мировоззрение Альберта Эйнштейна и, следовательно, гармонично дополняет настоящий сборник. — *Примечание редакторов.*

от этих симпатий и антипатий и думали о себе лишь как о представителях биологического вида, обладающего выдающейся историей, вида, исчезновения которого не может желать никто из нас.

Мы должны стараться ни единым словом не выражать пристрастия к тому или иному лагерю. Опасность в равной мере угрожает всем, — и если все поймут, какова эта опасность, можно будет надеяться, что ее удастся отразить совместными усилиями.

Нам надо научиться думать по-новому. Надо научиться спрашивать себя не о том, какие шаги следует предпринять, чтобы обеспечить той стороне, которую мы предпочитаем, победу в войне — таких шагов более не существует; нам надо спрашивать себя, какие шаги следует предпринять, чтобы предотвратить военное столкновение, итог которого будет гибельным для всех участников.

Широкая общественность и даже многие влиятельные люди еще не поняли, что повлечет за собой война с использованием ядерных бомб. Широкая общественность по-прежнему рассуждает в терминах уничтожения городов. Считается, что новые бомбы мощнее старых и что если одна атомная бомба стерла с лица земли Хиросиму, то одна водородная способна уничтожить и самые крупные города — Лондон, Нью-Йорк, Москву.

Несомненно, в войне с применением водородных бомб будут уничтожены большие города. Однако это всего лишь малая толика катастроф, с которыми мы столкнемся. Если погибнут все жители Лондона, Нью-Йорка, Москвы, мир за несколько столетий оправится от этого удара. Но теперь, особенно после испытаний на атолле Бикини, мы знаем, что ядерные бомбы способны постепенно уничтожить все живое на куда более обширных территориях, чем предполагалось.

Мы с полным основанием заявляем, что сегодня может быть создана бомба в 2500 раз мощнее той, которая уничтожила Хиросиму. Если взорвать такую бомбу на земле или под водой, радиоактивные частицы попадут в верхние слои атмосферы. Они постепенно опустятся к поверхности земли в виде смертоносной пыли или тумана. Именно такая пыль заразила радиацией японских рыбаков вместе с уловом. Никто не знает, насколько далеко распространятся эти смертоносные радиоактивные частицы, однако самые авторитетные специалисты единодушно утверждают, что война с применением водородных бомб способна положить конец существованию рода человеческого. Можно опасаться, что при применении большого числа водородных бомб погибнут все, — причем мгновенная смерть ждет лишь немногих, а большинство умрут медленно и мучительно от всевозможных болезней.

Выдающиеся ученые и специалисты по военной стратегии многократно предупреждали об опасности. Никто из них не утверждает, что сбудется самое худшее. Они говорят лишь о том, что подобные результаты вполне вероятны и никто не может гарантировать, что этого не случится. Пока что мы не обнаружили никакой зависимости между воззрениями специалистов по данному вопросу и их политическими взглядами и предпочтениями. Как показали наши исследования, эти воззрения зависят лишь от глубины познаний данного конкретного специалиста. Мы установили, что чем больше человек знает, тем мрачнее его прогнозы.

Итак, вот вопрос, который мы ставим перед вами — вопрос суровый, страшный, неизбежный: положим ли мы конец существованию рода человеческого — или человечество откажется от войн? Сталкиваться с таким выбором никто не хочет — ведь запретить войны очень трудно.

Если запретить войны, придется наложить малоприятные ограничения на независимость отдельных стран. Однако сильнее всего прочего мешает понять ситуацию, пожалуй, то, что само слово «человечество» представляется расплывчатым и абстрактным. Почти никто не может даже вообразить, что опасность грозит ему самому, его детям и внукам, а не какому-то туманному населению Земли. Почти никто не в силах заставить себя понять, что именно ему и его близким грозит непосредственная опасность погибнуть в муках. Поэтому все уповают на то, что можно воевать и дальше — надо лишь запретить применение современного оружия.

Это иллюзорная надежда. В мирное время можно заключать любые договоренности по запрещению использования водородных бомб, но во время войны они не смогут никого сдержать — и стоит начаться войне, как обе стороны примутся производить водородные бомбы, ведь если одна сторона будет производить бомбы, а вторая нет, та, которая их производит, неизбежно победит.

Хотя соглашение о запрете ядерного оружия в рамках общего сокращения вооружений не позволит окончательно решить проблему, определенным важным целям оно послужит. Во-первых, любое соглашение между Востоком и Западом — это уже благо, поскольку оно ослабит напряженность. Во-вторых, запрет термоядерного оружия — если каждая сторона будет уверена, что противник честно его соблюдает — позволит не так сильно опасаться внезапного нападения в стиле Пёрл-Харбор, а между тем этот страх в настоящее время держит обе стороны в состоянии тревоги и ожидания. Поэтому нам следует приветствовать подобное соглашение хотя бы в качестве первого шага.

Большинство из нас не беспристрастны, однако поскольку мы люди, то должны помнить: если противоречия между Востоком и Западом можно уладить так, чтобы удовлетворить хоть кого-то — коммунистов или антикоммунистов, Азию, Европу или Америку, белых или черных, — их следует улаживать не при помощи войны. Мы хотим, чтобы это поняли и на Востоке, и на Западе.

Если мы сделаем правильный выбор, перед нами лежит путь постоянного прогресса, счастья, познаний и мудрости. Стоит ли нам выбирать смерть — только потому, что мы не в силах забыть свои раздоры? Мы — люди и обращаемся к собратьям-людям: вспомните о своей гуманности, а все остальное забудьте. Если вам это удастся, вам откроется путь в рай на Земле; если не удастся — возможно, всех вас ждет гибель.

Резолюция

Мы предлагаем настоящему собранию, а через него — всем ученым планеты и широкой общественности подписать следующую резолюцию.

«Перед лицом того факта, что в любой грядущей мировой войне неизбежно будет применяться ядерное оружие, а подобное оружие угрожает дальнейшему существованию человечества, мы настаиваем, чтобы правительства всего мира поняли и публично признали, что их целей невозможно достичь посредством мировой войны, и, следовательно, настаиваем, чтобы они находили мирные средства решить любые спорные вопросы».

Профессор Макс Борн,
*профессор теоретической физики
в Берлине, Франкфурте и Геттингене,
естественной философии в Эдинбурге,
лауреат Нобелевской премии по физике*

Профессор Перси У. Бриджмен,
*профессор Гарвардского университета,
лауреат Нобелевской премии по физике*

Альберт Эйнштейн

Профессор Леопольд Инфельд,
*профессор теоретической физики
Варшавского университета*

Профессор Фредерик Жолио-Кюри,
*профессор физики, лауреат
Нобелевской премии по химии*

Профессор Герман Мёллер,
*профессор зоологии Университета
штата Индиана, лауреат Нобелевской
премии по физиологии и медицине*

Профессор Лайнус Поллинг,
*профессор химии Калифорнийского
технологического института, лауреат
Нобелевской премии по химии*

Профессор Сессил Пауэлл,
*профессор физики Бристольского
университета, лауреат
Нобелевской премии по физике*

Профессор Джозеф Ротблат,
*профессор физики
Лондонского университета*

Лорд Бертран Рассел

Профессор Хидеки Юкава,
*профессор теоретической физики
Университета в Киото, лауреат
Нобелевской премии по физике*

Популярное издание

Альберт Эйнштейн
МИР, КАКИМ Я ЕГО ВИЖУ

Научный редактор *А. М. Красильщиков*
Художественный редактор *С. Ващенок*

Макет подготовлен издательством «Прайм-Еврознак»

 www.p-evro.spb.ru

Подписано в печать 30.05.2013. Формат 84x108$^1/_{32}$. Печать офсетная.
Усл. печ. л. 11,76. Доп. тираж 3000 экз. Заказ № 3010 М.
Общероссийский классификатор продукции ОК-005-93,
том 2; 953000 – книги, брошюры.

ООО «Издательство АСT»

127006, г. Москва, ул. Садовая-Триумфальная, д. 16, стр. 3, помещение 1
Конт. тел. +7(499) 992-79-93
Наши электронные адреса: WWW.AST.RU
E-mail: astpub@aha.ru
«Прайм-ЕВРОЗНАК», 195009, Санкт-Петербург, ул. Комсомола, д. 41

Типография ООО «Полиграфиздат»
144003. г. Электросталь, Московская область, ул. Тевосяна д. 25